SÚPER RESILIENTE

Transforma las crisis en oportunidades

Una historia de la vida real

Jacques Giraud Herrera

Un libro siempre será un buen
Regalo, cuándo se esta dispuesto
Evolucionar, crecer y transformarse.
Que nada te detenga, Siempre estaremos
para ti. Te quiero mucho

Karlin 05/2021

SÚPER RESILIENTE

Primera edición 2019
ISBN: 978-1-7333067-0-6

Diseño de portada y montaje:
Escarpia Producciones @escarpiaproducciones
Foto contraportada:
Rubén Darío Márquez @rubendariophoto

Dedicatoria

A Dios por permitirme ser y estar consciente.

A mi familia: Miriam, Jaime †, Trini, Ciro †, Loraine, Miryam, Ariane, Jean Paul y Cirito, por la paciencia y el amor en tiempos duros.

A María del Carmen Lara, Huguette Guarani, Flavio Guarani †, Atilio Urdaneta, Tomás Vásquez, Julio Trujillo y Alejandro Aguirre, por enseñarme que la generosidad de corazón existe.

A John Morton por cada palabra sabia y de aliento que recibí en los momentos más desafiantes.

A Belkis Carrillo, por alentarme a escribir mi historia.

Agradecimientos

Hay tantas personas que mencionar. En mi corazón solo hay gratitud para ellos. Los menciono en orden alfabético (recuerden, soy ingeniero), y pido disculpas si olvido a alguien:

Andrés, Cástor, Diego, Eligio, Familia Caraball-Mieri, Familia Sánchez-Cuevas, Gustavo, Hans, Ismael, Juan Felipe, Kenny, Kina †, Leonardo, Mariana, Mercedes, Michel, Peter, Rita, Roberto, Saúl, Tomás, Yesmin.

Y a otros ángeles que estuvieron acompañándome en esta etapa tan extraña y mágica de mi vida.

Contenido

Prólogo

Cuando conocí a Jacques, nunca imaginé que detrás de esa amplia sonrisa, su neutralidad y su ejecución magistral como planificador, organizador y *coach*, se escondía una historia de vida tan cruda que habría hecho palidecer a cualquier guion de película de acción. Fue así como, una vez más, la realidad superó la ficción y me fue mostrando a alguien que nació para superar la adversidad, una y otra vez.

Para entonces, apenas se comenzaba a hablar de resiliencia y era notoria la cara de contrariedad del común de las personas al presentarles el concepto de salir fortalecidos de las circunstancias difíciles de nuestra existencia. Era como si todos alguna vez la hubiéramos aplicado, pero no la ubicábamos con ese nombre.

Cuando Jacques me confió que escribiría su primer libro, no dudé ni por un minuto que giraría en torno a este tema, pero lo que definitivamente me cautivó de su prosa fue encontrar una forma de narrar tan cercana y personal, que te sientes inmerso en los lugares, olores y sabores de cada historia que le tocó experimentar. Asimismo, su trayectoria como *coach* y facilitador enriquece su vivencia personal con herramientas y claves que permiten al lector conectarse con su propia resiliencia.

El lector encontrará en Súper Resiliente no solo la forma en la que el autor pudo superar las más adversas situaciones, como huir de dos países, distanciarse de su familia, estar ausente durante el fallecimiento de algunos de sus seres queridos, perder más de la mitad de su patrimonio, evadir una orden de extradición y haber estado en la lista roja de Interpol durante dos años, sino también una lista de herramientas prácticas que le permitirán comenzar a aplicar la resiliencia como una competencia muy necesaria para encarar las crisis y adversidades que aparecen constantemente en el mundo actual.

A través de un estilo muy personal, Jacques se mueve entre la crónica y el ensayo, sin olvidar los momentos autobiográficos que nos conectan con las similitudes de nuestros propios caminos. Pero no desde la posición de víctima, por el contrario: resaltando el valor de hacernos responsables de nuestras creaciones e invitando siempre a la acción consciente para generar un cambio positivo.

Luego de presentar el tema y ofrecernos pinceladas de su historia personal, mi parte favorita de Súper Resiliente es sin duda el Decálogo para renacer en el que Jacques nos comparte, de una forma esquemática y concreta, acciones totalmente aplicables en nuestro día a día para incentivar la resiliencia.

El lector no encontrará en este libro ninguna referencia «políticamente correcta» de lo que se «debe» sentir ante determinada situación, sino que, a lo largo de sus páginas, descubrirá la maestría aplicada por Jacques para reenfocarnos en nuestras capacidades y recursos, para superar los obstáculos que nos permitan finalmente vestir nuestro mejor traje de superhéroe.

Te invito a acompañar a Jacques en esta aventura plena de emociones y anécdotas que conectan con lo humano, pero, sobre todo, deseo que te regales la oportunidad de identificar en ti todo el potencial de cambio, superación, reinvención y expansión de conciencia que se resumen en una palabra mágica: RESILIENCIA.

Ismael Cala
@ismaelcala

Capítulo I

Mi mundo salta en pedazos

Mi difícil y aún inconclusa vivencia personal será el punto de partida para demostrar que en nuestras manos está la posibilidad de superar las adversidades y ser resilientes.

«Recuerda siempre que eres más grande que tus circunstancias, más que cualquier cosa que te pueda ocurrir» ANTHONY ROBBINS

La resiliencia habita en el interior de cada uno de nosotros: todos somos testimonio de ella. De allí que las herramientas para superar la adversidad descritas en las siguientes páginas se apoyan no solo en mi desempeño como *master coach* y facilitador durante dos décadas, sino y principalmente en una larga y desafiante experiencia personal que se extiende por casi 16 años.

La intención de estas páginas es crear una guía de cómo superar cualquier crisis o pérdida usando la resiliencia y, a través de mi historia, trabajar juntos para aprender y trascender. Este conjunto de acontecimientos inesperados que viví cambió radicalmente mi existencia. Me sentí perdido en mi propia confusión y negatividad, muchas veces lloré, y en algunos momentos me sentí paralizado sin poder hacer uso de las herramientas con las que he tenido la bendición de guiar a miles de personas. Por esas razones creé esta guía de herramientas y claves, para acompañarte y juntos encontrar las bendiciones escondidas que existen en cada experiencia desafiante.

Quiero que sepas que me cuesta mucho hablar de mí, de mis logros. Me atrevo a hacerlo porque necesito que sepas todo lo que perdí con esta situación, así tú también podrás trabajar en tu propia evaluación para, al final, descubrir lo que verdaderamente se pierde, ya sea material o interno, y aprender a recuperar la confianza en nosotros mismos.

Siempre he sido un hombre estudioso. Me gradué de Ingeniero Mecánico en la Universidad Simón Bolívar en Caracas, hice estudios de posgrado en la Universidad Católica Andrés Bello y, posteriormente, me acredité como facilitador, *coach* y mentor en instituciones reconocidas de Estados Unidos y España. Soy un autodidacta y mi *hobby* es leer.

Paralelo a mis estudios, me dediqué a enriquecer mi carrera. A los dieciocho años asistí al primer nivel de Seminarios Insight®, un programa pionero de crecimiento personal creado en 1978 y extendido en más de 20 países, y que me abrió un mundo nuevo de autoconocimiento, consciencia e inteligencia emocional. Las enseñanzas allí aprendidas guiaron gran parte de mis decisiones como joven y adulto, tanto en mi vida personal, profesional y de negocios.

Así fue cómo después de dedicarle años de servicio voluntario, decidí ingresar al programa de facilitadores y en 1997 recibí mi certificación, lo que me permitió viajar por varios países de América Latina, conocer personas muy importantes para mí y que se han convertido en una familia por elección.

MI PRIMERA EXPERIENCIA DE PÉRDIDA

Un evento decisivo de mi proceso de aprendizaje personal tiene una fecha precisa: la noche del viernes 6 de diciembre de 2002. Venezuela atravesaba durante aquel año una agitación política y económica en medio de eventos perturbadores no solo para la historia de mi país, sino también para mí. La peor cara de la tragedia tocaría ese año a las puertas de mi vida personal y a mi propia familia.

En abril de 2002 y luego de tres años de un mandato marcado por la destrucción sistemática de las instituciones democráticas y la propiedad privada, el entonces presidente de la República Bolivariana de Venezuela, Hugo Chávez Frías, fue derrocado momentáneamente. Apenas unas pocas horas luego, militares leales al gobierno retomaron el poder. En los meses siguientes, gran parte de la masa trabajadora se sumó a una huelga general en medio de fuertes represiones contra dirigentes de la oposición que, a lo largo de ese año y como seguiría ocurriendo en los tiempos por venir, derramaría su sangre sobre las calles de mi país.

En el marco de esta conmoción, la Plaza Altamira, ubicada en el este de la ciudad de Caracas y conocida en ese momento como la Plaza de la Libertad, era escenario de manifestaciones públicas en protesta por las atroces políticas económicas más las violaciones a los derechos humanos cometidas por el gobierno de Hugo Chávez. Hasta la Plaza Altamira se acercó mi padre la tarde de aquel diciembre de 2002.

Jaime Federico Giraud Rodríguez, de profesión químico, profesor de la Universidad Metropolitana y la Universidad Simón Bolívar, de 57 años de edad y quien por décadas ejerció su oficio en la antigua Petróleos de Venezuela, era un ciudadano con profunda tendencia pacifista, con un gran sentido de justicia, aunque, como todo venezolano preocupado por el porvenir de los suyos, se mantenía atento a la situación del país.

En horas de la tarde de ese viernes me llamó por teléfono para pedir que lo acompañara a la Plaza Altamira. Yo acababa de regresar de un viaje de trabajo y decliné su invitación. Fue la última vez que hablé con mi padre.

ES EL RELOJ DE PAPÁ

Tanto mi familia como yo compartimos un pensamiento democrático contrario a las políticas dictatoriales de la administración del entonces presidente Hugo Chávez. Aunque nunca fui miembro oficial de un partido político, participé en protestas y concentraciones, angustiado por la situación a la que el régimen antidemocrático podría llevar a Venezuela. Como en efecto ocurrió.

Impulsado por esos valores y por lo que ocurría en la Plaza Altamira, mi padre, en compañía de dos amigos, se dirigió hasta allí aquel viernes por la tarde para ejercer su derecho a protestar de forma pacífica. Yo decidí quedarme en casa para descansar tras el regreso de un viaje a Brasilia, donde había facilitado un curso, y resolver asuntos relacionados con mi negocio de restaurantes, el que ya habíamos sumado a la huelga general.

El televisor, encendido en una esquina de mi apartamento en la urbanización Santa Rosa de Lima, transmitía en vivo las noticias del momento. Un estrépito estalló en el aparato. La pantalla mostraba gente que corría y gritaba. Un tiroteo se había desatado en la plaza.

De inmediato recordé que mi padre estaba allí. Tomé el teléfono para llamarlo. No respondió. Eran alrededor de las 7 de la noche.

Durante los minutos que siguieron me mantuve atento a las imágenes que mostraba la televisión. Varias de las personas presentes en la Plaza Altamira habían sido baleadas fatalmente. Las noticias posteriores detallaron los eventos de aquella noche: desde la zona sur de la plaza, un hombre alto, con el cabello y las cejas teñidas de rojo, aprovechó para mezclarse entre la multitud concentrada en el sitio. Sin que ninguno de los presentes identificara sus intenciones, el misterioso sujeto desenfundó una pistola Glock calibre .40 y, sujetándola con ambas manos, apuntó hacia la muchedumbre. Descargó una primera ráfaga. Recargó su arma y la vació de nuevo. Cuatro tiros por segundo. La matanza se hubiese prolongado si uno de los presentes no inmoviliza al homicida asestándole un golpe con una bandera.

Yo permanecía paralizado ante el espanto que transmitía la televisión. Entre las imágenes emitidas en medio de aquel caos, la cámara mostró un cuerpo tirado en el piso, a medio cubrir por la bandera tricolor. En uno de los extremos sobresalía apenas una mano. La mano llevaba puesta un reloj. Era un Casio G Shock, el mismo modelo que por años usó mi padre.

Me dirigí de inmediato a la plaza. Al llegar, los fallecidos y heridos ya habían sido trasladados a diferentes centros hospitalarios. En ese entonces yo contaba con 32 de años. Mi hermana mayor, Loraine, vivía en Málaga, España, y mis dos hermanos menores, Ariane y Jean Paul, de 16 y 19 años de edad, estaban solos en casa. Los busqué para llevarlos adonde mi padrastro y mi madre (mis padres se divorciaron cuando yo tenía 7 años). En compañía de mi madre, emprendí la búsqueda por clínicas y hospitales. Esa noche recayó plenamente sobre mis espaldas el peso de enfrentar la situación.

Aunque no comprendía del todo lo que pasaba a mi alrededor, iba fluyendo al ritmo de los eventos. Fruto de mis enseñanzas impartidas como facilitador de los cursos de Seminarios Insight®, enfrenté las complicaciones una a una, a medida que surgían sobre la marcha.

La búsqueda fue ardua. Poco después de la medianoche, y aunque en principio me resistí a la idea, debí asumir la peor de las posibilidades. Tras recorrer clínicas y hospitales, conduje mi auto hasta la Medicatura Forense de Bello Monte. La más terrible de las conjeturas tomó forma. Allí yacía mi padre, víctima fatal de un tiro en el estómago más un segundo impacto en el cráneo.

Mi padre fue la primera persona baleada por un individuo que, según testigos de la matanza, se identificó como partidario de Hugo Chávez y cuyo fiero acto, se dijo entonces, buscaba intimidar a los manifestantes de la plaza. En lo que luego sería llamada la «Masacre de Altamira», junto a mi padre fallecieron la señora Josefina Inciarte, y Keyla Guerra, una chica de apenas 17 años, resultando heridas 29 personas más.

Esa madrugada me tocó ser el mensajero de la peor noticia que pudiese dar un hijo. Me comuniqué por teléfono con la esposa de mi papá para comunicarle la tragedia, también con mi hermana mayor. Cada llamada telefónica me acercaba al anuncio más difícil de la noche: informarle a mi abuela paterna, Adalia, que su primogénito había sido asesinado.

LOS DERECHOS DE UN HOMICIDA

Ante la matanza, el país reaccionó como pólvora encendida. Pese a la violencia de esa noche del 6 de diciembre, la Plaza Altamira siguió siendo escenario de protestas. Entrevistado por periodistas y presentadores de prestigiosos canales de televisión como CNN, condené aquellas muertes como un acto de opresión y cobardía. Mi mensaje apuntaba a que la crisis nacional debía terminar. Pero también hablé de paz. Que, sin importar la magnitud de los eventos ocurridos, debíamos procurar la conciliación y no actuar desde la rabia, el miedo o el dolor. Fue un mensaje pacificador, una postura desde el amor.

El cielo se llenó de globos blancos durante el sepelio de mi padre. A la ceremonia asistieron desde los más destacados líderes políticos nacionales del momento, hasta una multitud integrada por los jóvenes que fueron sus alumnos en los salones de clase de la universidad. Algunos dirigentes, tanto de uno como de otro sector, trataron de manipular la situación e involucrarme políticamente con un partido. Hasta el mismísimo presidente Hugo Chávez citó en uno de sus discursos mi convocatoria para actuar desde la paz.

El atacante de la Plaza Altamira, identificado como João de Gouveia, fue capturado durante el incidente. Se trataba de un inmigrante portugués nacido en Funchal, Madeira, el 19 de diciembre de 1964, residenciado en Venezuela desde 1981, y quien se ganaba la vida trabajando como mesero y taxista.

El país se mantuvo a la expectativa del juicio, que se prolongó de enero a julio de 2003. Las opiniones se encontraban fuertemente divididas. Mientras voceros de la oposición aseguraban que el asesino estaba relacionado con el gobierno, desde el régimen se hablaba de un sicario contratado por la misma oposición para agravar el caos político y justificar un segundo intento de derrocamiento. El presidente Chávez avivó la indignación al declarar que de Gouveia era un ciudadano con derechos que debían ser respetados.

Rendí declaración de lo sucedido ante la policía y los fiscales. Durante esos días recibimos llamadas de amenaza anónimas. La situación nos obligó a mantener bajo perfil. Los exámenes psicológicos aplicados a de Gouveia arrojaron indicios de desequilibrio mental. Finalmente, fue declarado culpable por el delito de homicidio, y condenado con la pena máxima vigente en Venezuela. El caso se cerró, pese a que representantes de la oposición exigían que la investigación continuara hasta identificar, más allá de la mano que apretó el gatillo, a los responsables intelectuales de la llamada «Matanza de Altamira».

La tragedia vivida quebrantó mis sentidos, llevándome al agotamiento físico, anímico y mental. Yo estaba fatigado. Necesitaba un tiempo para mí. Necesitaba empezar a procesar el duelo, que estaba como congelado dentro de mí. En los próximos capítulos compartiré cómo trabajé internamente este proceso. En ese momento necesitaba urgentemente respirar otro aire.

Tras una breve estadía en Málaga para visitar a mi hermana mayor y reflexionar sobre lo sucedido, retomé mi vida en medio de una aparente normalidad, seguí con mis consultorías de recursos humanos y capacitación para empresas dentro de Venezuela y en el resto de Latinoamérica, y me concentré en mi sociedad con la marca Café Olé Restaurant Pastelería.

A pesar de conservar un bajo perfil público, los eventos ocurridos en 2002 me marcarían para siempre.

MI INCURSIÓN EN LA BANCA

En uno de los talleres que impartí en Seminarios Insight®, conocí en 2006 a Tomás Vásquez, exinversor de corretaje venezolano, consultor financiero de la banca y quien me propuso en abril de 2009 servir de consultor de la casa de corretaje en pleno proceso de adquisición, Uno Valores Casa de Bolsa.

Mis deberes allí se concentraron exclusivamente en la evaluación del personal, la transición con el nuevo personal contratado, la creación de un nuevo organigrama, revisar el funcionamiento de los procesos de la organización y las estrategias a aplicar por el departamento de Recursos Humanos. Tras cumplir con esta labor, se me ofreció el cargo de Vicepresidente de Planificación en la firma Uno Valores.

En Julio del año 2009 obtuve una propuesta como director suplente en el Consejo de Administración del Banco del Sol. Pese a presentar la documentación necesaria, la Superintendencia de las Instituciones del Sector Bancario SUDEBAN, organismo gubernamental que regula a la banca venezolana y el sector financiero, rechazó la aprobación de mi postulación. No obstante, en ningún momento mis responsabilidades comprendían la firma de documentos o autoridad alguna sobre los activos financieros o área de créditos.

En noviembre de ese año, una decena de instituciones financieras fueron intervenidas por el gobierno debido a presuntas irregularidades. Se solicitó la aprehensión de alrededor de 30 ejecutivos y accionistas bancarios. Uno de los primeros banqueros señalados fue Eligio Cedeño, quien desde 2007 ya permanecía preso por el caso MICROSTAR. Cedeño era un prominente empresario y el principal accionista del Banco Canarias, destacado miembro de la oposición, amigo personal de Tomás Vásquez, y perseguido por sus opiniones en contra del gobierno de Hugo Chávez.

A Cedeño también se le acusaba de colaborar con la huida del líder sindical Carlos Ortega, quien fuera señalado por el gobierno venezolano de conspiración y traición a la patria por presuntamente participar en la organización de la huelga general y el paro petrolero del 2002.

Dos personas, Eligió Cedeño y Tomás Vásquez, serían personas clave en mi futuro inmediato. Era obvio que el gobierno venezolano obstaculizaría las acciones financieras de Vásquez debido a su cercanía con Eligio Cedeño, a quien apoyó durante sus casi tres años en prisión.

A principios de diciembre de ese año, 2009, decidí renunciar a mis limitadas responsabilidades en Uno Valores, aunque un evento ocurrido días después me ataría de por vida a los sucesos por venir. El 10 de diciembre y en acatamiento a una declaración de la Organización de las Naciones Unidas, la jueza María Lourdes Afiuni ordenó la liberación de Cedeño por considerar arbitraria su detención. Un enfadado Hugo Chávez arrestó de inmediato a la jueza Afiuni y, sin juicio alguno, como ya era costumbre en los procesos judiciales del país, la condenó a prisión bajo los cargos de traición y corrupción.

A los días de su liberación, Eligio Cedeño viajó al extranjero por temor a ser encarcelado de nuevo. A las pocas horas y atendiendo a informaciones según las cuales la policía de inteligencia nacional lo buscaría para interrogarlo sobre el destino de Cedeño, Vásquez también partió fuera de Venezuela.

Finalmente, el 17 de diciembre de 2009, el gobierno intervino Uno Valores. La fecha coincidió con mi partida a México, donde había decidido pasar las navidades y reflexionar sobre la situación. Tras regresar a Venezuela, me reuní con el interventor designado por el gobierno venezolano, Rafael Ramos, para aclarar mi posición en medio de ese choque de fuerzas políticas y económicas totalmente fuera de mi control. Creía ingenuamente que yo no tenía nada que temer, dado que carecía de autoridad en el Banco del Sol y mi desempeño en la casa de corretaje estaba estrictamente relacionado con el área de Planificación, Procesos y Gestión de Recursos Humanos.

Permanecí en el país. Aunque en un primer momento no fui interrogado por las autoridades, los empleados tanto de Uno Valores como de El Banco del Sol fueron citados uno a uno para ser interrogados. Esa fue una alerta que no detecté a tiempo.

Continuaba vinculado profesionalmente con proyectos de capacitación en otras organizaciones. Unos meses después, a las 6:30 a. m. del 21 de mayo de 2010, me despertó una llamada telefónica. Al otro lado de la línea, Tomás Vásquez, sumamente alarmado, me aconsejó salir de Venezuela. Tenía información sobre órdenes de aprehensión emitidas contra directivos del Banco del Sol, y siendo absolutamente inocente, se me incluyó entre las seis órdenes de aprehensión. Yo era el único que en ese momento permanecía en el país.

Rápidamente, metí un suéter, mi cepillo de dientes y el pasaporte en una mochila y salí de casa. Recuerdo que cuando cerré la puerta hice una oración de protección, un símbolo reiki de protección y entregué mi casa al *bien mayor*, confiando que lo que sucedería estaría bien. Una parte de mí sabía que pasaría un buen tiempo antes de volver. Tomás Vásquez organizó en secreto mi salida del país ese mismo día, a altas horas de la noche, mientras la policía política me intentaba ubicar. Las dos personas que me llevaron al lugar donde fui recogido para salir de Venezuela, me informaron telefónicamente al día siguiente que, a los minutos de emprender mi viaje, la policía política había llegado al lugar para intentar detenerme.

Al momento de escribir estas líneas, 9 años después, no he regresado a mi país. Esa misma noche salí de Venezuela rumbo a Miami. Sentí que el control que hasta ese momento había ejercido sobre mi vida, se me escurría de entre los dedos.

A la mañana siguiente, agentes del gobierno allanaron mi apartamento y empezó el proceso de persecución en mi contra. En el momento en que llegaron, mi madre y mi hermana recogían algo más de ropa y objetos personales para enviármelos con un amigo. Ellas estaban escondidas en el apartamento esperando poder salir. ¡Cuando vivimos una crisis, los primeros afectados son las personas más cercanas y a las que más amamos!

Días después, cuando se realizó el allanamiento formal con una orden de la Fiscalía, mi abogado me comentó que los agentes policiales bromeaban porque les causaba gracia no encontrar libros de finanzas en mi biblioteca personal, solo textos de psicología y recursos humanos.

LA OPERACIÓN DEL FBI

En Miami entré en una «parálisis por análisis» tras perder toda la estructura de control de mi vida en menos de 24 horas. Pasé a usar ropa prestada y a vivir de la amabilidad de amigos. Hasta que el 2 de junio de 2010 partí a México para asumir un proyecto laboral y refugiarme en un lugar donde sintiese una protección externa, aunque la protección «interna» seguía ausente. El propósito era rehacer los fragmentos de mi vida y continuar.

Inicié el proceso legal para obtener en México la visa de trabajo y permanecer allí como *coach* ejecutivo, consultor de planificación, gestión y recursos humanos. La resiliencia empezó a aparecer en cada momento negativo en que me preguntaba para no paralizarme: ¿cuál es mi siguiente paso?

La tempestad estaba por arreciar. Fui acusado por la Fiscalía General venezolana de los cargos de asociación para delinquir, apropiamiento indebido de fondos públicos e ilícitos cambiarios. A mi abogado se le negó el acceso al expediente, pese a que es un derecho establecido en la Constitución y el Código Penal venezolano. A través suyo se me preguntó si yo estaba dispuesto a declarar en contra de Tomás Vásquez. De aceptar esa propuesta, los cargos en mi contra serían desestimados y podría regresar a Venezuela, además de recibir una compensación financiera. Me negué.

A todas estas, y sin yo saberlo, Tomás Vásquez había denunciado ante el FBI, el intento de extorsión del interventor de la casa de bolsa Uno Valores, con el fin de desenmascarar a altos funcionarios de la banca venezolana, entre ellos, el propio interventor, el ya mencionado Rafael Ramos, y el superintendente de bancos, quienes le habían pedido a Vásquez $2,5 millones a cambio de eliminar los cargos en su contra y emitir un informe financiero favorable sobre la casa de corretaje.

Como parte de la investigación, el FBI grabó las conversaciones entre ambas partes. La operación fue un éxito y, en diciembre de 2010, Rafael Ramos fue detenido por el FBI por corrupción, extorsión y lavado de dinero (Tomás Sánchez evitó el arresto cancelando en el último momento su viaje).

La operación fue noticia de primera plana en la prensa internacional, y calificada por el régimen venezolano como una campaña de descrédito organizada por el gobierno de los Estados Unidos. El presidente Hugo Chávez desataría sus demonios: a la semana de la detención de Ramos, el Tribunal Supremo de Justicia —que a la fecha era parte del secuestro institucional implantado por el régimen chavista— aprobó con la velocidad de la luz una solicitud de extradición a USA y México en contra Tomás Vásquez y varios miembros de Banco del Sol y Uno Valores. Yo estaba incluido.

LA ALERTA ROJA DE INTERPOL

A solicitud del gobierno de Venezuela, el 24 de agosto de 2010 la INTERPOL emitió una Alerta Roja a nombre de Tomás y varios miembros del personal de Uno Valores. Mi nombre formó parte de la cacería. Mi abogado nunca fue notificado de la solicitud de extradición o de la orden de arresto que respaldaba la solicitud de INTERPOL, lo que violaba abiertamente los requisitos básicos del debido proceso.

Los fiscales venezolanos cerraron todas las líneas de comunicación. Solo le informaron a mi abogado que el caso estaba siendo manejado por el mismísimo presidente Chávez. Se me aconsejó ocultarme y preparar mi defensa desde México. La situación me impidió seguir con el proceso de solicitud de mi visa de trabajo en ese país. Seguidamente, a través de un amigo, Alejandro Aguirre, contacté al abogado mexicano Diego Ruiz Durán, miembro del bufete Nassar, Nassar y Asociados. Bajo los consejos de Miguel Nassar Daw, experto en criminología y derecho penal, recibí la asesoría para enfrentar la situación.

Mi regreso a Venezuela significaba ser detenido injusta e indefinidamente y sin derecho a la defensa ante un tribunal parcializado con el gobierno venezolano. Ningún juez iba a decidir a mi favor. Hasta mi vida correría peligro. En noviembre de ese año me volvieron a ofrecer el «acuerdo»: declarar en contra de Tomás Vásquez a cambio de poder volver a Venezuela y que los cargos en mi contra fueran desestimados. Lo rechacé de nuevo.

Buscado por Interpol, Tomás Vásquez diseño y organizo mi traslado de México a USA, en conjunto con sus abogados. Se envió un abogado a la Ciudad de México a realizarme una entrevista y se levantó un informe de mi caso, el cual fue presentado al Fiscal Federal Dick Gregory. Posteriormente, se notificó a las oficinas de Interpol en Washington D.C., y al FBI de mi futuro traslado. El 23 de diciembre de 2010 salí de México, en un avión privado propiedad de Eligio Cedeño, y junto con un abogado que me acompañaría a mi ingreso a USA. Llegué al aeropuerto ejecutivo de Ft. Lauderdale esa noche... En las próximas páginas explicaré parte de lo que llamo «el universo siempre conspira cuando algo está fuera de tus manos».

El 29 de marzo de 2011 pedí asilo al gobierno de los Estados Unidos. Mi propósito era retomar mi rol como *coach* y consultor. No fue fácil. Hubo personas que se negaron a contratar mis servicios: tras consultar en internet, se enteraban de inmediato de la solicitud de Interpol. Quienes desconocían los detalles se formaban una percepción equivocada de mí. El estigma me persiguió por mucho tiempo. Otras personas que pensé que me apoyarían se distanciaron, tal vez pensando de forma «un poco ridícula» que les podría afectar mi situación. Pero, como siempre, aparecieron unos bien llamados «ángeles» que mostraron confianza en mí y me dieron la oportunidad de servir con mi talento a sus organizaciones.

ENSEÑANZAS DE LA TORMENTA

Los episodios que he narrado hasta aquí y los que siguieron están cargados de dolor, tristeza y frustración. Pero también de aprendizajes, del apoyo de gente maravillosa y de reflexiones que realinearon mi sentido de la vida. Estoy convencido de que yo creé, provoqué e incluso permití lo que pasó. Quizá no a un nivel consciente en algunos casos, pero en parte fui responsable.

Así como asumo esa responsabilidad, deseo que el lector de este libro asuma la responsabilidad de su historia y de su crisis. Pero no como una víctima atrapada en la negatividad con el propósito de despertar lástima y la compasión del prójimo o alimentando una falsa «humildad», sino para cambiar su actitud hacia lo neutro o lo positivo y de cara a la acción.

Aquí es cuando entran al juego las infinitas bondades de la resiliencia. Tal como lo abordaré gradualmente en las páginas que siguen, mi intención es describir cómo las herramientas de la resiliencia me ayudaron a enfrentar una larga crisis que muchas veces dobló mis piernas. Durante esas pruebas difíciles empezamos a buscar respuestas dentro y fuera de nosotros. Enfrentar la adversidad te ofrece un punto de referencia que te fortalece y crea resiliencia en ti. Ella surge dentro de nosotros en los peores momentos.

En ese largo viaje que ya se extiende por varios años, descubrí quiénes eran mis verdaderos amigos y quiénes no. Conocí mis mayores debilidades, y aquellas fortalezas de las que aferrarme. Me confronté a mí mismo para eliminar lo que me sobraba y agotaba para, liberado de la carga residual que era como un fardo en mi vida, quedarme con lo que realmente importa. De allí la decisión de enlazar en este libro mis conocimientos como ser humano, como *coach* y como el protagonista de una experiencia desafiante para que, como hice yo, sepas que en tus manos también está la posibilidad de sobreponerte a la tempestad. Utiliza esta guía como un trampolín.

No es un camino fácil, pero sí posible. En mi caso, llevó años de reflexión, meditación, tomando pequeños pasos y de maduración de los aprendizajes extraídos de las experiencias desafortunadas.

Nuestra historia personal demuestra que cada uno de nosotros guarda dentro de sí las habilidades para lograr resiliencia.

La idea de este libro es tomar consciencia y descubrir esas herramientas y procesos personales que permiten superar las crisis, pérdidas, y calamidades para salir de la tormenta, más libres y sabios, es decir, superarnos como seres humanos resilientes.

Capítulo II

De la crisis a la oportunidad: resiliencia

¿Qué es la resiliencia y cómo ayuda a sostenernos en pie frente a las adversidades? ¿Cuáles son las características de las personas resilientes? ¿Todo podemos serlo? Conocer de qué se trata es el primer paso para asumirnos resilientes.

«No malgastes tu energía, reprochando un por qué. Enfócate en un para qué y tus respuestas te elevarán», ISMAEL CALA

PREGÚNTATE SI...

- ¿Crees que cuentas con los recursos internos necesarios para afrontar las crisis?
- ¿Has superado situaciones difíciles en el pasado? ¿Recuerdas cómo te elevaste sobre ese evento?
- ¿Has obtenido beneficios de una situación conflictiva ya superada?
- Ante tus crisis, ¿en cuál grupo te ubicas en este momento?
  - Sufres de por vida la secuela de la situación.
  - Mantienes emociones sobre el evento.
  - Te recuperas y obtienes un aprendizaje.
- ¿Asumes las dificultades como una oportunidad para aprender?

He sufrido grandes pérdidas en mi vida. La primera muerte de un ser querido fue una experiencia extremadamente dolorosa. Lloré por dos días luego de saber que Alex Padilla, quien condujo parte de mis primeros pasos en los Seminarios Insight®, había fallecido en un accidente aéreo. Luego partieron inesperadamente muchas personas que fueron para mí un punto de referencia.

Mi padre fue asesinado aquella tarde de diciembre de 2002. Mi abuela materna, Bertha, murió en 2001, y mi abuela paterna, Adalia, en 2012. Miguel Roldán, uno de mis mentores y presidente emérito de TISOC, falleció en el año 2012. Mi padrastro, Ciro Sosa, murió por un cáncer de hígado ese mismo año. Poco tiempo luego, Flavio Guaraní, un amigo que vivía en Brasil y a quien admiraba enormemente, murió durante una práctica de buceo. John Roger, fundador de Seminarios Insight®, falleció en 2014. Y, finalmente, Henry Pazos, un médico homeópata a quien apreciaba mucho, falleció en 2018 por causa de afecciones pulmonares.

Cuando estás lejos y trascienden personas importantes en tu vida, se crea un vacío afectivo y un dolor que genera un proceso de duelo. El duelo es una crisis. ¿Cómo lidié con tan desafiantes situaciones? ¿Cómo enfrenté las emociones y los pensamientos negativos que me asaltaron en esos momentos de pérdida irrecuperable? ¿De qué manera asumí el dolor? Estas son solo algunas de las muchas preguntas que se hacen las personas que atraviesan situaciones extremas. Y lo confieso aquí: al momento de experimentar muchas de esas pérdidas, yo tampoco tenía las respuestas a mano. Al menos no todas. Fue desafiante el camino para encontrarlas.

¿QUÉ ES UNA CRISIS?

Todos afrontamos crisis de diferente origen e intensidad. Siempre permanecemos expuestos a circunstancias adversas, ya sea porque perdemos a un ser amado, fracasa nuestro negocio o empresa, nos despiden del empleo, extraviamos algún bien valioso, nos traiciona esa persona en quien habíamos depositado nuestra confianza, o nos mudamos de país. Yo viví todas esas calamidades en un periodo de un año.

La primera acepción que el Diccionario de la Real Academia Española ofrece al concepto de crisis es la de «Cambio profundo y de consecuencias importantes en un proceso o una situación, o en la manera en que estos son apreciados». Esta primera definición de crisis nos habla de cambio y consecuencias, pero también se relaciona con la forma cómo cada uno de nosotros asume los conflictos.

No todas las crisis son iguales. El impacto viene dado no tanto por el evento en sí, sino por la manera en que cada persona lo asume. Revisemos los tres elementos que influyen poderosamente al momento de darle mayor o menor impacto a una crisis: la carga emocional, la imprevisibilidad del evento, y la naturalidad o no con que se asuma.

Carga emocional

En primer lugar, la intensidad de una crisis dependerá del peso emocional que le imprimamos a la situación adversa. Si la carga emocional es muy intensa, el tiempo de recuperación será mayor. Es decir, la demora en recuperarte es directamente proporcional a la carga emocional que le imprimas a la crisis.

La carga emocional proviene de nuestras creencias y juicios. Por ejemplo, las personas que crean en la reencarnación o confíen en la frase del escritor ruso Leon Tolstoi, «La muerte no es más que un cambio de misión», les será más fácil asimilar la trascendencia de la muerte. Este ejemplo explica cómo las cargas emocionales parten de nuestra mente para modelar la actitud con que enfrentamos determinado evento.

Imprevisibilidad

Si la crisis llega de sorpresa, el tiempo de recuperación será mayor porque se trata de un suceso que no se vislumbraba en el horizonte. Por ejemplo, la noche anterior de cuando debí huir de Venezuela, me encontraba en un local tomándome unas bebidas en compañía de amigos. Lo inesperado de la orden policial en mi contra me desconcertó totalmente porque nunca pensé que algo así podría ocurrir.

Solemos vivir en modo piloto automático, una rutina de pensamientos y emociones repetidas que generan acciones y respuestas automáticas... hasta que pasan imprevistos que nos sacan de nuestra zona de comodidad. Cuando eso ocurre, no queda más remedio que desactivar el piloto automático y maniobrar nosotros.

Naturalidad

Un tercer factor que influye en el proceso de comprender una crisis es si creemos o no que tal crisis es parte del orden de la vida. Si pensamos que la muerte, por ejemplo, forma parte del ciclo natural de la existencia, por supuesto que dolerá cuando fallezca alguien cercano, pero nuestra forma de digerir esa pérdida será diferente, será mejor.

DE LA CRISIS A LA OPORTUNIDAD

Puede que no lo parezca para quienes la atraviesan en el momento, pero toda crisis tiene un reverso esperanzador. Si lo giramos, el ideograma chino que representa la crisis también simboliza el concepto de la oportunidad. Para los chinos, cada crisis contiene la oportunidad de resolver esa situación. La crisis es una oportunidad de encontrar soluciones.

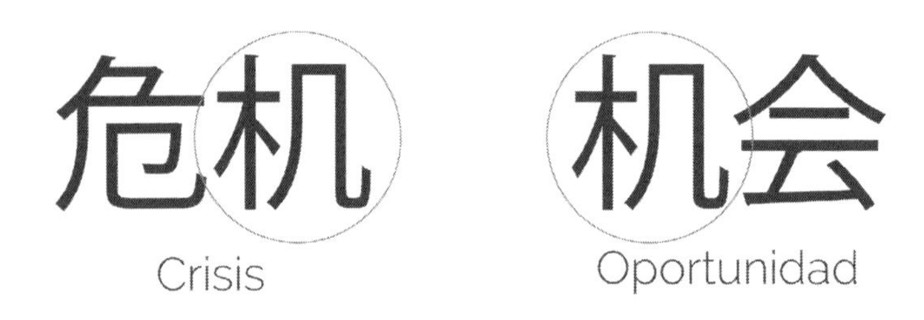

Ahora, ¿qué es una oportunidad? La definición que el Diccionario de la Real Academia Española da es «Momento o circunstancia oportunos o convenientes para algo». Así, la oportunidad es la secuela natural de la crisis, su otra cara, el paso lógico que sigue tras la adversidad.

«Solo en momentos de crisis surgen las grandes mentes», ALBERT EINSTEIN

Es posible perder el equilibrio emocional ante una situación negativa, que nos paralicemos y hasta dudemos de nuestra natural habilidad de recuperarnos. Pero si sabemos mirar hacia dentro de nosotros mismos, podremos reaccionar y levantarnos porque las crisis vienen de la mano de las herramientas personales para salir de ellas. Son esas situaciones infortunadas las que permiten convencernos de que somos capaces de desafiarnos y sobreponernos. De allí la certeza del dicho popular «estamos hechos a la medida de nuestras dificultades».

El propósito de estas primeras líneas es reconocer y entregarte a ti mismo el siguiente mensaje: «Esto que está frente a mí es la crisis. Y yo voy a poder manejarla». Si tú no te hubieses recuperado de una dura crisis ocurrida en el pasado, no estarías leyendo estas líneas ni demostrarías interés alguno por los beneficios de la resiliencia.

Luego de la tragedia, se vuelve a la rutina con una aproximación diferente, se sigue trabajando, se asumen nuevos hábitos, llegan nuevas amistades, otro amor… la vida continúa. Al final, seguimos aquí y continuamos porque resurgimos o renacemos. Seguimos aquí porque nos recuperamos. Porque somos resilientes.

¿QUÉ ES LA RESILIENCIA?

La resiliencia juega un gran papel para pasar de la crisis a la oportunidad. Antes de ahondar en ese proceso, conozcamos primero de qué se trata. Etimológicamente, la palabra proviene del latín *resalirentia*, que se podría traducir como la «cualidad del que vuelve a saltar y quedar como estaba».

La resiliencia es un proceso dinámico que refleja la capacidad de los seres humanos para enfrentar y sobreponerse a momentos críticos, desafiantes e inesperados, adaptándose y obteniendo una toma de consciencia y un aprendizaje, para tomar una acción correctiva.

Un resorte es un ejemplo estupendo para explicar este concepto. Si tomamos un resorte con nuestros dedos y por unos instantes ejercemos presión sobre él para seguidamente soltarlo, este mecanismo recuperará su forma original una vez que haya dejado de sufrir la fuerza aplicada.

Por eso el término resiliencia se utiliza mucho en el campo de la ingeniería: es la habilidad de un material, mecanismo o sistema para recuperar su estado inicial cuando ha pasado la perturbación a la que se encontraba sometido. De allí que se hable de edificaciones tsunamirresistentes o tsunamirresilientes cuando estas construcciones son resistentes al furioso impacto de un tsunami.

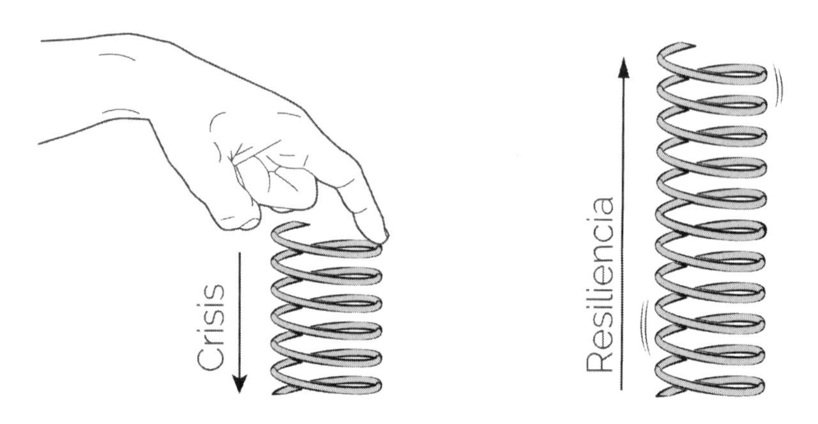

Al igual que el resorte, los seres humanos atravesamos experiencias dolorosas que nos comprimen. Si tomamos consciencia de la experiencia vivida durante ese periodo de presión, en nuestra esencia quedará la huella de la crisis y de la forma como nos estiramos y recuperamos. Los seres humanos al final no recuperamos exactamente la forma original: hay una toma de consciencia y un aprendizaje que no teníamos antes de la crisis.

EL PODER ESTÁ EN TODOS

A mediados de la década de los 40 del siglo anterior, el fundador de la logoterapia, neurólogo y psiquiatra austriaco Viktor Frankl, tras sobrevivir a los campos de concentración nazis de Auschwitz y Dachau, escribió el famoso libro *El hombre en busca de sentido*. Allí relata cómo obtuvo resiliencia a partir del sufrimiento compartido con quienes padecieron aquellos terribles campos de exterminio.

Tres décadas después, el psiquiatra británico Michael Rutter introdujo el concepto de la resiliencia en la psicología. La definió como la capacidad de los seres humanos para afrontar y salir de la adversidad. No obstante, los primeros estudios sobre la resiliencia se enfocaban en las características de las personas que enfrentan exitosamente las pérdidas, en contraste con aquellas que sucumbían ante ellas.

Fue Edith Grotberg, profesora adjunta del Instituto de Iniciativas de Salud Mental de la Universidad de George Washington, Estados Unidos, quien en la década de los 90 dio un paso más allá y, gracias al Proyecto Internacional de Investigación de Resiliencia que se extendió a 27 lugares en todo el planeta, demostró que la promoción y el uso de la resiliencia es posible en todas aquellas personas que transitan por situaciones desafortunadas. Edith Grotberg confirmó que todos podemos ser resilientes.

La psicología clásica habla de «capacidad de recuperación», mientras la psicología positiva se refiere al «poder de recuperación». La diferencia radica en que la frase «poder de recuperación» reconoce que en nuestro interior poseemos esa habilidad. En todo caso, y tal como afirman diversos autores, para ser resiliente se debe obtener un aprendizaje de las experiencias del pasado con el fin de evitar repetir errores, así como no experimentar los mismos niveles de dolor si en el futuro ocurre una situación similar.

¿NACE O SE HACE?

¿Nacemos resilientes? La resiliencia no es una cualidad innata ni está impresa en nuestros genes, aunque sí puede darse cierta tendencia genética que predisponga a mostrar carácter frente a los problemas. En todo caso, estudios del campo de la neurociencia apuntan que la resiliencia se manifiesta no solo en la psiquis, sino también a nivel neurofisiológico y endocrino.

Según estas investigaciones, atravesar una situación traumática activa diferentes áreas del cerebro, como la amígdala, el hipocampo y el neocórtex. Los estímulos ambientales negativos generan diferentes respuestas físicas que llevan a que personas resilientes muestren mayor equilibrio emocional frente a las situaciones de presión, mientras otras sucumben ante situaciones parecidas.

Pese a que se necesitan estudios que confirmen o no la predisposición genética o biológica que conduce a una persona a ser más o menos resiliente, sí se ha demostrado que hay personas genéticamente más proclives a la tristeza que otras; sin embargo, el factor «aprendizaje» es importante. También aprendemos a sentirnos incapaces. Los recuerdos de situaciones en que no alcanzamos el éxito remarcan la convicción de que no somos capaces de surgir.

No obstante, una enseñanza que debemos grabar con fuego es que, indistintamente del elemento genético, la resiliencia es una habilidad que todos podemos desarrollar a lo largo de la vida: estudios realizados por la Asociación de Psicología Americana muestran que la resiliencia es ordinaria, no extraordinaria, es decir, la gente comúnmente demuestra resiliencia frente a la adversidad.

La resiliencia también es un rasgo no solo individual, sino que puede abarcar a todo un grupo poblacional. El psiquiatra y articulista de prensa José Abelardo Posada, en su momento director para América Latina de la Asociación Mundial de Psiquiatría, afirma que «frente al coeficiente intelectual y el coeficiente emocional, surge ahora el coeficiente de la adversidad o la capacidad de la persona, los grupos y las comunidades de sobreponerse a la adversidad y salir triunfante». Muestra de ello es la reacción de la población norteamericana ante los ataques terroristas del 11 de septiembre de 2001, y sus esfuerzos individuales y grupales para reconstruir sus vidas.

«En tiempos de crisis, unos lloran
y otros venden pañuelos», ANÓNIMO

PARA UNA LARGA VIDA

La resiliencia se fortalece a medida que se avanza en edad. ¿Por qué? Según Adam Grants, profesor de Administración y Psicología de la Universidad de Pensilvania, con los años se acumulan experiencias que facilitan la capacidad de manejar el estrés y regular las emociones, lo que les ofrece una ventaja a las personas mayores frente a la gente joven. Es lo que llamamos experiencia, no antigüedad. Aunque un fenómeno interesante sucede actualmente y es que los jóvenes de la generación *millennial* demuestran una habilidad resiliente, creatividad y espontaneidad impulsadas por la globalización.

La resiliencia ayuda a vivir más y mejor. Un estudio de 2017 realizado en conjunto entre la Escuela de Medicina de la Universidad de California, San Diego, y la Universidad de Roma La Sapienza, sobre la salud física y mental de habitantes de entre 90 y 101 años de Cilento, región del sur de Italia conocida por la longevidad de sus vecinos, ofrece datos reveladores.

Antes, las anteriores investigaciones sobre la longevidad se concentraban en la genética, la dieta y la actividad física de las poblaciones analizadas. El estudio a los habitantes de Cilento abordó por primera vez los rasgos de la resiliencia. «Estas personas pasaron por depresiones, tuvieron que migrar, perdieron a sus seres queridos (...). Para poder seguir adelante, debieron aceptar y recuperarse de aquello que no pudieron cambiar, pero también luchar por lo que sí podían», describió Dilip V. Jeste, profesor de psiquiatría y neurociencia en la Universidad de California, San Diego, y quien dirigió la mencionada investigación.

Uno de los ancianos participantes del estudio contó que su esposa por casi 65 años había fallecido un mes atrás. «Pero gracias a mis hijos, me estoy recuperando y sintiéndome mejor. He luchado toda mi vida y siempre estoy preparado para los cambios. Los cambios traen vida y te dan la oportunidad de crecer. Siempre pienso lo mejor. Siempre hay una solución. Es lo que me enseñó mi padre: haz frente a las dificultades y espera lo mejor», les comentó el anciano a los investigadores, quienes concluyeron que estos rasgos de la personalidad dan un propósito en la vida, incluso a una edad avanzada.

«Vimos que cuestiones como la felicidad o la satisfacción con la vida aumentaron, mientras los niveles de estrés y depresión se redujeron, lo que muestra que hay ciertos atributos que son muy importantes, como la resiliencia, el apoyo social fuerte, el compromiso y la confianza en uno mismo», explicó el director del estudio.

Pese a los muchos beneficios de la resiliencia, la gente se sigue enfocando en el problema y no en la solución. Las tendencias de búsqueda que arroja Google Trends en los últimos años revela que la palabra resiliencia ha tenido un crecimiento de casi 3.5 veces. No obstante, al comparar las búsquedas en inglés de los términos *resilience* y crisis, la palabra crisis es 12 veces más buscada que el término *resilience*. Al comparar las tendencias de búsqueda de ambos términos en español, la palabra crisis es 21 veces más buscada que la palabra resiliencia.

Esto se explica porque la mayoría de las personas busca soluciones planteando el problema, y no las alternativas que den respuesta al conflicto. Parte del propósito de este libro es revertir esa tendencia.

FLEXIBILIDAD, ADAPTABILIDAD Y FORTALEZA

El poder de la resiliencia para enfrentar situaciones retadoras se levanta sobre tres cualidades: flexibilidad, adaptabilidad y fortaleza. Todas las definiciones de resiliencia apuntan a que, si manejas estos tres atributos, podrás transformar las crisis en oportunidades.

Flexibilidad

Quienes hablan de resiliencia suelen mencionar el bambú, una planta flexible, fuerte y adaptable a los diferentes cambios en su entorno. Es probable que un viento fuerte derribe un árbol de tronco rígido, pero no podrá contra un tallo de bambú dúctil, maleable, capaz de amoldarse a los embates de un ventarrón. Igual pasa con los seres humanos.

Antes de crecer, durante sus primeros 5 a 6 años esta planta desarrolla las raíces y luego el tallo. Utilizando esta metáfora, para ser resilientes necesitamos primero echar raíces fuertes y sólidas. Esa flexibilidad permite moverse con lo que sucede y fluir con el presente. Se trata de una habilidad clave para entender qué es crisis y oportunidad: ser flexible es aceptar que se es parte de una dinámica de vida y cómo necesitamos cooperar y fluir con el presente para sobreponernos y seguir creciendo bajo el sol, resilientes como el bambú.

Adaptabilidad

Adaptarte a tu nueva circunstancia durante o después de una crisis te permitirá tomar acciones sobre ella. Y si adquieres consciencia de que en tus manos tienes el poder de alterar tu realidad, ya estás encaminado para transformarla.

Por ejemplo, tras llegar de México a Estados Unidos luego de que Interpol liberase en mi contra la Alerta Roja, perdí muchas oportunidades de trabajo y parte de mi patrimonio por lo que pasó luego de mi salida de Venezuela. Tuve que cambiar la manera como manejaba mi presupuesto y experimentar con el mundo *online* para desarrollar mis sesiones de *coaching*, consultoría y *mentoring*. Es decir, debí adaptarme a mi nueva realidad. Esa adaptabilidad me llevó a tomar acciones para crear una nueva realidad tanto dentro como fuera de mí.

Fortaleza

Fortaleza no es rigidez ni firmeza. Es reconocer que dentro de ti tienes la fuerza para superar la situación. Mientras la adaptabilidad lleva a entender y estar consciente de la realidad, la fortaleza permite reconocer que dentro conservas el poder para transformarla.

«La fortaleza está en el alma y el espíritu, no en los músculos», ALEX KARRAS

Imaginemos cómo operan estos tres atributos en la mente de un individuo:

- **Flexibilidad:** «Soy flexible… aunque a veces muestro cierta rigidez que suelo confundir con disciplina».
- **Adaptabilidad:** «¿Resistencia al cambio? No creo… aunque llevo más de 10 años en el mismo empleo que me disgusta».
- **Fortaleza:** «Me gusta desafiarme y me mantengo constante hasta conseguir lo que quiero».

De las tres cualidades, este sujeto imaginario al que le atribuimos ciertos pensamientos necesita ocuparse en desarrollar la flexibilidad y la adaptabilidad. Está muy aferrado a su zona de confort, ese espacio repleto de situaciones que creemos poder controlar.

El público que ha participado en diferentes talleres que he facilitado se identifica más con la adaptabilidad como elemento a desarrollar. Es razonable: todos nos sentimos cómodos sentados en el mullido sofá de nuestras certezas, y nos gusta mantener el control de esas situaciones que parecen inmóviles, pero cuando se presenta un cambio, nos es difícil adaptarnos a las nuevas circunstancias.

CUALIDADES DE LA PERSONA RESILIENTE

Aunque todos podemos desarrollar resiliencia, su práctica no es tan común como debería ser. Un estudio realizado con 254 alumnos de Psicología de la Universitat Autònoma de Barcelona, España, y publicado en la revista Behavioral Psychology, apunta que las personas suelen manifestar tres tipos de reacciones ante las crisis:

- Sufrir durante toda la vida las consecuencias de la crisis.
- La mayoría se sobrepone y la intensidad de las emociones negativas disminuye con el tiempo.
- A un tercer grupo de personas, conformado por el 20 % del total de los participantes en el estudio, atravesar un trauma las hizo crecer personalmente, resultaron fortalecidas y con un mayor dominio de sus emociones.

¿Cómo formar parte de este tercer grupo? Ya hemos dicho que todos podemos ser resilientes. Pero no se trata de una característica única que la gente tiene o no: la resiliencia abarca conductas, pensamientos y acciones que pueden ser aprendidas y desarrolladas. En la literatura psicológica existe consenso sobre los siguientes comportamientos y actitudes que definen a una persona resiliente:

Son conscientes de sus fortalezas y limitaciones

El autoconocimiento es un arma muy poderosa para enfrentar los retos. Las personas resilientes saben cuáles son sus principales fortalezas y habilidades, así como sus limitaciones y defectos. De esta manera se trazan metas objetivas a partir de los recursos disponibles para alcanzar sus deseos.

Son creativas

Ante la dificultad, piensan «fuera de la caja» para encontrar soluciones creativas. La persona con una alta capacidad de resiliencia no intentará unir con pegamento los fragmentos del jarrón roto, pues sabe que ese jarrón ya no volverá a ser el mismo. El resiliente hará un mosaico a partir de los pedazos y transformará la experiencia vivida en algo nuevo, bello y útil. De lo vil, saca lo precioso.

Confían en sus capacidades

Al ser conscientes de sus potencialidades y limitaciones, las personas resilientes confían en lo que son capaces de hacer. Si algo les caracteriza es que no pierden de vista sus objetivos y se sienten seguras de lo que pueden lograr. No obstante, también reconocen la importancia del trabajo en equipo y no se encierran en sí mismas.

Aprenden de las dificultades

Las personas resilientes son capaces de ver más allá de las situaciones dolorosas, y asumen las crisis como una oportunidad para generar un cambio, para aprender y crecer. Saben que las épocas críticas no son eternas y que su futuro dependerá de la manera cómo reaccionen. Cuando enfrentan un contratiempo, se preguntan: ¿qué puedo aprender de esto? A partir de ese aprendizaje sabrán qué hacer o no la próxima ocasión en que afronten una circunstancia parecida.

También hay individuos que con escuchar u observar a otros aprenden de los errores ajenos. No obstante, un segundo grupo necesita vivir en carne propia la experiencia dolorosa para aprender. Ambos caminos son igual de válidos, siempre y cuando se aprenda.

Practican el *mindfulness* o consciencia plena

Aun sin ser conscientes de esta práctica milenaria en la que ahondaremos más adelante, las personas resilientes viven en el aquí y en el ahora, sin ansiedad por el futuro ni depresión por el pasado. Vivir el momento aclara el pensamiento y permite tomar las mejores decisiones.

Para estas personas el pasado forma parte del ayer y no es una fuente de culpabilidad y zozobra, mientras que el futuro no les aturde con su cuota de incertidumbre y preocupaciones. Son capaces de aceptar las experiencias tal y como se presentan e intentan sacarles el mayor provecho. Disfrutan de los pequeños detalles y no han perdido su capacidad para asombrarse ante la vida.

Observan la vida con objetividad y optimismo

Estar consciente de que nada es completamente positivo ni negativo permite centrarse en los aspectos positivos y disfrutar de los retos. Estas personas desarrollan un optimismo realista, también llamado *optimalismo,* y están convencidas de que por muy oscura que se presente la jornada, el día siguiente puede mejorar.

Por ello son buscados para dar ánimo y reconfortar a otros. Su nivel de energía es alto y canalizado para la solución. Su lema es: hasta los días malos dejan algo bueno. Las personas resilientes cambian el paradigma de «A veces se gana, a veces se pierde» por «A veces se gana, a veces se aprende».

Se rodean de personas con actitud positiva

Saben cultivar sus amistades y se mantienen en contacto con personas con una actitud entusiasta, evitando a toda costa a quienes actúan como vampiros emocionales. Así crean una sólida red de apoyo para sostenerse en las horas difíciles. Cuando pasan por un suceso potencialmente traumático, su primer objetivo es superarlo; para ello, son conscientes de la importancia del apoyo social y, en casos extremos, no dudan en buscar ayuda profesional.

No intentan controlar todo

Una de las principales fuentes de tensión y estrés es el deseo de regular todos los aspectos de la vida. Por eso nos sentimos culpables e inseguros cuando un evento escapa de nuestro control. Sin embargo, las personas resilientes saben que es imposible dominar todas las situaciones, aprendieron a lidiar con la incertidumbre y se sienten cómodas, aunque no manejen el pleno control de lo que les pasa.

Son flexibles ante los cambios

A pesar de que los individuos resilientes manejan una definida imagen de sí mismos y conocen qué quieren lograr, también son flexibles para adaptar sus planes y modificar sus metas cuando sea necesario. No se cierran al cambio y están dispuestos a valorar diferentes alternativas, sin aferrarse obsesivamente a sus aspiraciones iniciales o a una única solución.

Son tenaces

El hecho de que sean flexibles no implica que renuncien a sus metas, al contrario, si algo las distingue es su perseverancia y su capacidad de lucha. La diferencia consiste en que no batallan contra molinos de viento, sino que aprovechan el sentido de la corriente y fluyen con ella.

«Con constancia y tenacidad se obtiene lo que se desea», NAPOLEÓN BONAPARTE

Afrontan la adversidad con humor

Las personas resilientes son capaces de reírse de las tribulaciones y sacar una broma de sus desdichas. La risa es su mejor aliada porque les permite mantenerse optimistas y enfocarse en los aspectos beneficiosos de las condiciones contrarias.

Solucionan las crisis con empatía

La empatía es la capacidad de percibir, compartir y comprender lo que otro puede sentir. De allí que las personas resilientes encuentran alternativas sin olvidar cómo estas afectan a los demás. Descartan las posturas de víctima y las actuaciones impulsadas por el rencor o el egoísmo, para obtener lo mejor para todos.

Balanceados en la vida

Una planta para crecer necesita agua, luz solar, tierra fértil y un clima favorecedor. También nuestra vida se nutre de distintas áreas que se refuerzan entre sí para lograr el balance: ni demasiada agua que pudra las raíces, ni tan poca que seque las hojas. Así, las personas resilientes viven una existencia equilibrada entre el trabajo, el estudio, la familia y la recreación. Ni adictos al trabajo, ni desocupados todas las horas del día. Entienden que cada faceta es igual de importante.

LAS MARCAS DE LA INFANCIA

Si todos podemos ser resilientes, ¿por qué algunas personas lo demuestran más que otras? Los primeros años de formación arrojan las claves para responder esta pregunta: los atributos que se adquieren durante el crecimiento escriben el guion de cómo, ya adultos, asumiremos los momentos de presión.

Un recién nacido comienza a crear su personalidad sobre la seguridad que le transmiten sus padres. Una relación de protección y afecto forma los cimientos para desarrollar resiliencia. Por el contrario, muchos estudios demuestran que niños y niñas que durante sus primeros años de vida experimentaron condiciones traumáticas, falta de cariño y de cuidados, presentan de adultos una vulnerabilidad afectiva en su relación con sí mismos y con las personas que les rodean.

Si cuando de pequeños no está presente un individuo cuidador o si se es rechazado y abandonado, a medida que el niño crece se sentirá más sensible. Se crea así una personalidad sostenida sobre pilares débiles, lo que perjudicará la capacidad de crear resiliencia. También, si los padres no muestran el impulso de recuperarse tras una calamidad, sus hijos carecerán de referencia sobre cómo manejarse adecuadamente durante la adultez, y tenderán a repetir el patrón y asumir la crisis como un evento negativo.

No obstante, cuando el niño crece puede desarrollar vínculos que reparen tales deficiencias, como es el caso de los adolescentes y adultos que cultivan amistades enriquecedoras que llenan ese vacío y sensación de fractura.

Pese a que la resiliencia está relacionada a situaciones que aparentemente no tienen nada en común entre sí, tales como privación económica, divorcio, desastres naturales y maltrato, los estudios realizados por Peter Fonagy, psicoanalista inglés y profesor de psicología de la University College London (UCL), indican que los niños y niñas resilientes presentan las siguientes características:

Atributos

- Ausencia de problemas físicos.
- Temperamento fácil.
- Ausencia de separaciones o de pérdidas tempranas.

Entorno inmediato

- Padres competentes.
- Relación cálida con al menos un cuidador primario.

- Posibilidad de contar en la adultez con apoyo del cónyuge, familia u otras figuras del entorno.
- Mejor red informal de apoyo (vínculos).
- Red formal de apoyo a través de una mejor experiencia educativa.

Funcionamiento psicológico

- Mayor coeficiente intelectual y habilidades de resolución de problemas.
- Mejores estilos de enfrentamiento.
- Motivación al logro.
- Autonomía.
- Empatía, conocimiento y manejo adecuado de relaciones interpersonales.
- Voluntad y capacidad de planificación.
- Sentido del humor positivo.

El psicólogo alemán Friedrich Lösel agrega a estas características otras cualidades del funcionamiento psicológico en niños y niñas resilientes:

- Mayor tendencia al acercamiento.
- Mayor autoestima.
- Menor tendencia a sentimientos de desesperanza.
- Mayor autonomía e independencia.
- Habilidades de enfrentamiento que, además de otras ya mencionadas, incluyen orientación hacia las tareas, mejor manejo económico, menor tendencia a la evasión de los problemas y al fatalismo.

Si a una persona la rodea un entorno familiar en el que abundan los mensajes como «no tomes riesgos» o «confórmate con lo que tienes», a esa persona le costará mucho romper con ese círculo del fracaso. Por el contrario, cuando los padres brindan mensajes resilientes y son modelos de superación, sus hijos adquieren una consciencia adecuada ante las crisis y se relacionan mejor con situaciones como el divorcio, la mudanza de colegio, o la muerte de un familiar o de una mascota.

Pero culturalmente tratamos de no exponer al niño al sufrimiento. Frases como «Dios se lo llevó al cielo» o «Va a ser feliz en el cielo» tratan de desvincularnos y protegernos desde pequeños de los procesos dolorosos. Aunque con buenas intenciones, expresiones de ese tipo solo limitan en el niño el desarrollo de la capacidad de resiliencia y pueden arrastrarnos a que, ante situaciones de profunda contrariedad, nos desconectemos y hasta reneguemos de Dios.

Los padres deben proporcionar ciertas orientaciones para que el pequeño, cuando crezca, encare las calamidades desde el hacerse cargo, y no desde la evasión o el regodearse en el dolor. De allí que sugiero a los padres o a los cuidadores sentar las bases de la crianza de los niños con explicaciones como:

- La muerte no ha de ser forzosamente dolorosa, sino parte de una transición.
- Las relaciones de pareja se terminan cuando el amor se acaba.
- Nos mudamos de casa porque no nos encontramos cómodos en esta, y en otro hogar estaremos más cómodos.
- Te cambiamos de colegio para facilitar el transporte y otras rutinas de la vida diaria.

DARLE OTRO SIGNIFICADO AL DOLOR

Para ser resilientes debemos buscar dentro de nosotros mismos las herramientas para superar los obstáculos. Pero muchas personas ni siquiera inician esa búsqueda por encontrarse en un permanente proceso de evasión del dolor. Los paradigmas inadecuados que muchos llevan grabados en su mente impiden asumir el dolor como parte de la vida: si te golpeas, dolerá; si te quemas, te arderá.

Desde el punto de vista neurológico, el cerebro les envía a los sentidos una señal para que procese de determinada manera el dolor ante cierta situación. Si la señal es «dolor = malo», entonces experimentaremos malestar. Pero si se trata de «dolor = parte del proceso natural», lo manejaremos como un proceso natural. Es decir, incorporando el concepto de neutralidad en la interpretación del dolor.

Todo lo dicho hasta ahora se relaciona con el guion que manejamos. O, mejor dicho, el guion que maneja nuestras reacciones ante determinadas situaciones. Si tu guion consiste en que las crisis son malas, entonces tendrás menos capacidad de enfrentar esas crisis, permitiendo que el miedo, el bloqueo y el paradigma negativo te manejen. Si el mensaje que te repites a ti mismo es «Yo no soy capaz», entonces «no serás capaz».

A pesar de lo férrea que pudo ser nuestra formación de niños para llevarnos a asumir el lado trágico del dolor, se trata de un patrón que podemos modificar. Pongo mi caso como ejemplo. Mis padres se divorciaron cuando yo contaba con 7 años de edad. Recuerdo que en ocasiones yo lloraba y la mayoría de las veces ni entendía la situación; no obstante, mantenía la capacidad de jugar con mi Lego® y de reconectarme rápidamente conmigo mismo.

El dolor fue un tema que en casa no se trataba abiertamente porque los miembros de mi familia eran presa de las consecuencias de su duro pasado. A mí me tocó darle un giro a esa percepción negativa heredada, para hoy llegar a apreciar el dolor desde un punto de vista positivo y enriquecedor.

Yo me esforcé desde los 17 años en reescribir ese guion mental mediante frases como «yo sí puedo», «yo sí quiero», «yo sí tengo la habilidad». Tras las trágicas muertes de familiares y amigos que comenté en el primer párrafo de este capítulo, ahora, cuando un ser querido fallece por causas naturales, no percibo esa pérdida como un imprevisto, sino como parte del orden de la vida, y aunque la tristeza se haga presente, añado amor y gratitud por todas las bendiciones recibidas durante el tiempo de presencia física. Lo digo con toda la humanidad del caso.

Con mi continua aproximación a la muerte de personas queridas, el significado que le atribuyo al dolor me hace ser más resiliente. Siempre manteniendo el sentimiento de pérdida, por supuesto, pero desprovisto de una visión trágica. Experimento nostalgia por lo que significa ya no contar con la compañía de la persona amada, pero desde un contexto que me hace apreciar esa pérdida de forma serena y enriquecedora.

Mi creencia personal es que vinimos a aprender en esta escuela llamada vida y tenemos un proceso que vivir y completar. Aprender a utilizar el observador consciente es una herramienta vital para poder trascender sobre nuestras emociones asociadas a la pérdida o crisis, y elevarnos a un lugar que permita comprender el *bien mayor* detrás de cada evento o experiencia.

Cuando le ofrecemos otro significado a una calamidad, modificamos las emociones experimentadas a raíz de tal situación y las transformamos en crecimiento. Por ejemplo, una muerte imprevista creará un gran impacto, pero si se trata de una muerte gradual, digamos a partir de una enfermedad crónica, solemos decir «ahora va a descansar». Esa especie de consolación apunta a un poderoso mecanismo interior: dotar de significado positivo a los acontecimientos fatales. Ese nuevo sentido lleva a transformar los sucesos de la vida en experiencias para el aprendizaje.

LO QUE LA RESILIENCIA NO ES

Todo lo dicho nos lleva a un punto clave: las experiencias dolorosas, donde aprendes y estás consciente de lo que sientes, te hacen ser más resiliente. No te endurecen ni te deshumanizan, sino que permiten manejarte con mayor madurez y sabiduría. Ser resiliente no es creerse invulnerable o insensible.

Quienes siguen el paradigma de «Yo tengo que ser fuerte», «Siempre debo reponerme al dolor», se comportan desde un falso sentido de fortaleza. Por el contrario, estar conscientes ante el dolor nos hace más vulnerables porque nos conecta profundamente con el proceso de pérdida.

La resiliencia no significa tampoco ser indiferente o dejar de experimentar angustia o tristeza. De hecho, el camino hacia la resiliencia está lleno de obstáculos que agrietan nuestro estado emocional. Debe haber vulnerabilidad dentro de la resiliencia (hay que experimentar dolor durante el proceso de duelo, tema del que hablaremos en el próximo capítulo), pero estando conscientes de que nos encontramos vulnerables y fluir con esa vulnerabilidad.

Como un ejemplo de resiliencia quisiera compartir la historia de Beatriz Lemus, una joven venezolana con autismo clásico que superó todo pronóstico desfavorecedor. Beatriz cuenta con un coeficiente intelectual superior al de Albert Einstein, y comenzó a tocar piano a los 3 años de edad. Hoy es médico fisiatra y ejerce su carrera en el Hospital Militar Carlos Arvelo (Caracas, Venezuela), donde es considerada una de las profesionales más talentosas de la Unidad de Medicina Física y de Rehabilitación de ese centro asistencial.

En sus redes sociales, Beatriz señala que su autismo no es Asperger, generalmente con altos niveles de funcionalidad. Ella superó el guion que la vida quería dictarle y hoy es ejemplo del bambú. En la siguiente fábula oriental del helecho y el bambú, podemos identificar las características de esta chica prodigiosa y que también están presentes en toda persona resiliente:

«Un día decidí darme por vencido... renuncié a mi trabajo, a mi relación, a mi vida. Fui al bosque para hablar con un anciano que decían era muy sabio».

—¿Podría darme una buena razón para no darme por vencido?, le pregunté.

—Mira a tu alrededor —me respondió—, ¿ves el helecho y el bambú?

—Sí —respondí.

—Cuando sembré las semillas del helecho y del bambú, las cuidé muy bien. El helecho rápidamente creció. Su verde brillante cubría el suelo. Pero nada salió de la semilla de bambú. Sin embargo, no renuncié al bambú. En el segundo año el helecho creció más brillante y abundante, y nuevamente nada creció de la semilla de bambú. Pero no renuncié al bambú. En el tercer año nada brotó de la semilla de bambú. Pero no renuncié al bambú. En el cuarto año, nuevamente nada salió de la semilla de bambú. Pero no renuncié al bambú. En el quinto año, un pequeño brote de bambú se asomó sobre la superficie de la tierra.

«En comparación con el helecho, era aparentemente muy pequeño e insignificante. El sexto año, el bambú creció más de 20 metros de altura. Se tomó cinco años para echar las raíces que lo sostuvieran. Aquellas raíces lo hicieron fuerte y le dieron lo que necesitaba para sobrevivir. ¿Sabías que todo este tiempo que has estado luchando, realmente has estado echando raíces? —dijo el anciano y continuó—: El bambú tiene un propósito diferente al del helecho. Sin embargo, ambos son necesarios y hacen del bosque un lugar hermoso. Nunca te arrepientas de un día en tu vida. Los buenos días te dan felicidad. Los malos días te dan experiencia. Ambos son esenciales para la vida».

Capítulo III

Atravesando el proceso de duelo

Cuando no eres capaz de adaptarte, ser flexible y encontrar tu fortaleza ante las crisis, entras en un ciclo que conduce al desaliento y la depresión. Cumplir cabalmente el proceso de duelo es el primer paso para superarlo.

«Somos sanados del sufrimiento solamente cuando lo experimentamos a fondo», MARCEL PROUST

PREGÚNTATE SI...

- ¿Alguna experiencia en tu vida te ha bloqueado de tal forma que no te permite actuar?
- ¿Has permanecido atado o atada a una pérdida personal por más de un año?
- ¿Sueltas rápidamente una pérdida de un bien material?
- ¿Sufres ataques de ira cuando una situación no se desarrolla como deseas?
- ¿Mantienes cerca de ti elementos o símbolos que te recuerdan a una persona que hayas perdido o haya salido de tu vida?

Durante mi estancia en México, luego de que Interpol emitió la Alerta Roja de captura junto con la orden de aprehensión, yo estaba tan angustiado que no identificaba solución alguna. Perdí el ánimo, extrañaba mi hogar, me encontraba hospedado en casa de amigos y echaba de menos mi independencia y libertad. Tuve que medicarme para combatir el insomnio. Una parte de mí no se adaptaba ni era flexible con lo que pasaba a mi alrededor. Y perdí mi fortaleza. Había entrado de lleno en la espiral del desánimo.

Cuando nos sentimos aplastados y presionados por la adversidad, atravesamos diferentes etapas en una curva sombría que es necesario identificar para saber cómo fluir con ella. Es la llamada Espiral del desánimo que abarca las siguientes fases:

EL DESÁNIMO

Es la primera sensación sufrida cuando se encara una crisis y se expresa en la falta de voluntad y de ilusión para enfrentar el reto. Predominan los reproches a uno mismo y lamentos del tipo «¿por qué me está pasando esto a mí?», o «no tengo energías para manejar la situación». En esta etapa inicial se busca a un culpable de lo sucedido y se tiende a asumir una postura de víctima. El primer síntoma del desánimo es la pérdida del entusiasmo y la tendencia a evadir la dura circunstancia.

La tristeza se extiende con facilidad a los otros espacios de la vida, y creemos que hemos perdido nuestra autoestima y confianza para superar los desafíos. En consecuencia, extraviamos una parte de nuestra identidad. En esta primera etapa nos sentimos agotados y de manos atadas para resolver el reto.

«No dejes que nada te desanime,
porque hasta una patada en el trasero
te empuja hacia adelante», ANÓNIMO

El desánimo llega cuando pensamos que las batallas a librar sobrepasan nuestras fuerzas. Con la autoestima y la autoconfianza disminuidas, entramos en una espiral que reduce nuestras posibilidades de logro, pudiendo llegar a percibir erróneamente que ya no tenemos nada que hacer. Sentirse en desánimo favorece el mal desempeño, lo que genera más desánimo.

De allí que el manejo de la fortaleza y la adaptabilidad es clave para rebasar esta fase: si me adapto, puedo asumir mi nueva realidad y transformarla. Y si actúo con fortaleza, manejo la fe y la autoconfianza suficientes para superar el suceso infortunado.

LA INDEFENSIÓN

Tras el desánimo llega la indefensión. Esta sensación o sentimiento se presenta cuando no vemos oportunidades en el horizonte ni nos sentimos facultados para cambiar la situación. Asumimos, entonces, una postura de pasividad. En este estado de indefensión te sientes expuesto, inseguro, no asumes la realidad, pierdes tu potencial para hacerte cargo del ahora y adaptarte.

En esta fase asaltan sensaciones que se traducen en frases como «No tengo quién me proteja» y empiezas a buscar formas aparentes de conseguir resguardo. ¿Cuál es la forma de sentirte aparentemente protegido? Intentar volver al pasado, porque es en el ayer cuando te colmaba la sensación de comodidad y de creer que controlabas las circunstancias. Tratas de reencontrarte con lo perdido y pretendes desesperadamente retomarlo, aferrarte a lo que ya se ha ido.

Quizá intentemos salir del atolladero, pero chocamos nuestras narices contra el desamparo. Quizá llamamos a alguien de confianza para pedir apoyo, pero esta persona te contesta «te respondo luego porque voy a trabajar» o «por la noche hablamos». Con cada quien concentrado en su rutina, una parte de ti supone que el mundo continúa mientras tú permaneces atascado en el dolor.

Todavía tengo algunos recuerdos de cuando viví esa etapa, en el año 2010. Creo que yo olía a problemas y crisis porque muy pocas amistades se presentaron incondicionalmente. Otras estaban «en su trabajo» o «en su vida». No lo escribo como un reclamo, sino desde la posición del observador consciente. Cuando atraviesas una situación de minusvalía, algunas amistades se ausentan mientras otras te sorprenden con su presencia infalible. ¿Mi sugerencia para estos casos? Confiar en lo que el universo pone frente a ti. Detrás siempre hay un aprendizaje.

En un artículo sobre las claves del comportamiento, publicado por Martin Seligman, psicólogo estadounidense y uno de los pioneros de la psicología positiva que profundizó en el concepto de la indefensión aprendida y su relación con la depresión, se afirma que las personas empiezan a ser pasivas cuando se sienten atrapadas. Y como en la etapa de la indefensión las opciones son poco evidentes ante nuestros ojos, la mente se bloquea y quedamos sumidos en lo negativo.

La sensación de indefensión se aplica no solo a los individuos, sino también a grupos laborales, familias y hasta a naciones enteras. Si el subconsciente colectivo está convencido de que es imposible enfrentar una crisis, sus miembros se mantendrán pasivos y permitirán que el *statu quo* siga su curso.

> «Fallar es una parte importante de nuestro crecimiento y del desarrollo de resiliencia. No tengas miedo de fallar», MICHELLE OBAMA

EL DESALIENTO

Al entrar al desaliento te sumerges en un estado extremo de desánimo y pierdes la fuerza para actuar. En esta etapa gobierna la sensación de postración, nos sumimos en el abatimiento y perdemos la fuerza para continuar. Es el momento cuando los demás empiezan a decir «vas a estar bien», «no te preocupes», «tú puedes». Pero en el fondo no les crees porque dudas de tu capacidad de superación.

Predomina la tristeza ante el hecho de la pérdida, más la frustración y la nostalgia por el pasado. En esta fase la energía productiva está en un nivel bajo y tendemos a aislarnos. El desaliento nos lleva a creer que nos faltan las energías para innovar, avanza el conformismo y empezamos a «comprar» guiones del tipo «aquí nada va a cambiar», «no haré nada porque todo seguirá igual».

En las dos etapas anteriores se puede actuar; pero durante el desaliento, la recuperación pareciese inalcanzable. El desaliento mayor repercute en el estado físico y mental: el sufrimiento psicológico provoca modificaciones bioquímicas y el exceso de cortisol, la llamada hormona del estrés, deprime el sistema inmunológico. Esto explica por qué cuando una persona está ante una situación de estrés intenso y prolongado, se enferma y hasta puede llegar a sufrir episodios de disfunción sexual.

LA DEPRESIÓN

Desconectados de nuestro poder personal, esta sensación de desesperanza altera la bioquímica del cerebro y se corre el riesgo de entrar en la depresión. Llegamos al momento de tocar fondo. La depresión termina apagando las luces internas, paraliza, bloquea y nos aparta de los otros.

¿Durante una crisis se puede pasar directamente a la indefensión o a la depresión? Es difícil diferenciar cuándo se cruza de una etapa a otra debido a que sus síntomas son parecidos. Cuando se comienza a percibir el desánimo debemos aplicar las herramientas liberadoras internas para evitar entrar en el desamparo o la indefensión que antecede al desaliento y de ahí a la depresión. De ese último cuarto oscuro solo nos podrá sacar el apoyo de especialistas o la aplicación de terapias.

Todos alguna vez nos hemos sentido en situación de desamparo o desaliento, tal vez no al punto de la depresión (se requiere un examen especializado para diagnosticarla), pero muchos de nosotros hemos experimentado cuando el sufrimiento parece salirse de nuestro control. ¿Qué necesitas para identificar la fase de la espiral de desánimo en la que te encuentras y no llegar al borde del abismo, como podría ser pensar en atentar contra tu vida? Si en algún momento un pensamiento de este tipo cruza por tu mente, necesitas buscar apoyo profesional.

Recurrir a ayuda especializada no es una derrota ni te hace menos resiliente. Muchas personas se cierran a esa posibilidad, pensando que pueden manejar a solas la situación o no aceptan que necesitan apoyo adicional. Cuando estuve en México acudí a terapia profesional. Con las herramientas a mi alcance, con todo mi bagaje de años como facilitador de Seminarios Insight®, con mi amplia experiencia como *coach* para apoyar a otras personas a centrarse y superarse, me admití a mí mismo que necesitaba ayuda. No podía manejarlo en solitario. Sin importar tu rol, estatus o conocimiento, aprendí que: «el mejor líder, facilitador o *coach* es aquel que se deja facilitar por un profesional».

Un ejemplo que ilustra esta etapa es cuando se pierde el empleo y la persona se encierra entre las cuatro paredes de su casa. Cuando se percibe la llegada del desánimo, hay que tomar acciones correctivas, ponerse en movimiento, involucrarse, actualizar el currículum y enviarlo, postularse en internet, identificar a tu alrededor quién puede prestarte ayuda para encontrar una nueva plaza de trabajo.

Si tú no te involucras con nuevas posibilidades, el mensaje que le envías al universo y a ti mismo es que «no hay nada que hacer». Y si no hay nada que hacer, nada va a llegar. Pero si aprendes que cada crisis encierra oportunidades, te sentirás capaz de responder para innovar y transformar la realidad. Como la energía llama energía, la acción es la única manera de romper la espiral del desánimo en sus etapas iniciales.

EL PROCESO DE DUELO

Luego de que mi padre fue asesinado aquel diciembre de 2002, entré en una inercia de varios meses en los que me hice cargo de mis hermanos menores y atendí el proceso judicial. Durante el resto de las horas ocupaba mi mente con asuntos laborales para no pensar directamente en la pérdida. Evadía. Al cabo de un tiempo, cuando las aguas volvieron aparentemente a su cauce y mis hermanos estaban encaminados, entré en crisis.

¿Cómo me di cuenta? Fui a tomar una ducha y luego de un buen rato bajo el agua, ya mi piel se había arrugado por el tiempo que había pasado ahí, sin consciencia de mí mismo. Corría el agua fría porque ya la caliente se había agotado. No perdí el sentido, sino la consciencia de mi presente. Me había extraviado de mí. Estaba exhausto física, emocional y mentalmente. No cumplí a cabalidad mi proceso de duelo tras la partida de mi padre.

Perder a seres que amamos, empleos, negocios, objetivos, bienes materiales, sentido de uno mismo, hábitos u oportunidades, puede activar el proceso de duelo. En realidad, es un ciclo de adaptación que requiere de un tiempo para superar la experiencia dolorosa, lo que dependerá de la magnitud de la pérdida y de nuestra actitud ante ella.

El duelo es una respuesta saludable a una crisis. Para tomar consciencia de este proceso debemos conocer sus cinco etapas, propuestas por primera vez en 1969 por la psiquiatra Elisabeth Kübler-Ross en su libro *On Death and Dying (La muerte y los moribundos).* Basada en su trabajo con pacientes en fase terminal, esta autora suizo-norteamericana afirmó que luego de la muerte de un ser querido se inicia un proceso por el cual la gente lidia con la pérdida:

- Negación.
- Ira.
- Negociación.
- Depresión.
- Aceptación.

Para trabajar y relacionarse con los otros se requiere de un cierto nivel de energía productiva. Cuando esa energía está al 100 % disfrutamos de una vida que pudiésemos calificar de «normal»; pero esa energía va cambiando a medida que el proceso de luto opera en la persona. Son saltos de energía productiva en un proceso que debemos vivir para superarlo.

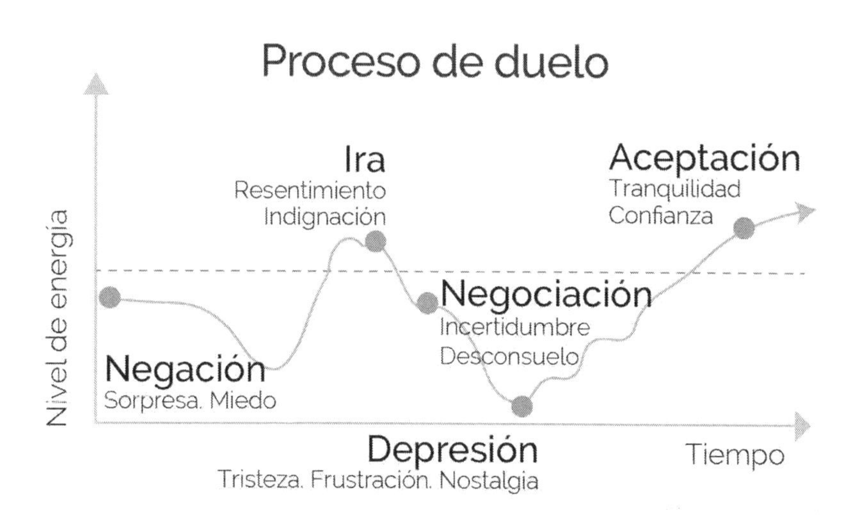

Las cinco fases se dan en el orden descrito: empiezas con la negación, subes la cuesta de la ira, te ralentizas durante la negociación interna, para luego sumergirte en la depresión (más que depresión clínica, es una profunda sensación de desánimo). De último viene la aceptación, donde recuperas el norte y el nivel de energía productiva.

Es importante entender que este ciclo aplica no solo a la pérdida de un ser querido, sino a un cambio brusco, un divorcio, emigrar a otro país o perder un bien material significativo.

Nadie puede vivir el duelo por nosotros. Es un proceso individual e intransferible. Un trayecto que cada quien debe recorrer con las herramientas internas que posea y, por supuesto, con los apoyos externos. Pero el duelo es una experiencia que se tiene que vivir para que se dé el proceso de fortalecimiento. Transitarlo consciente y adecuadamente nos lleva a la resiliencia. Aunque a veces tardemos un poco. Profundicemos en cada una de estas etapas:

La negación

Lo primero que ocurre en una situación de pérdida es el típico «esto no me está pasando a mí», aunque desde tu intuición sabes que efectivamente está sucediendo. La negación es una forma de resistencia. Te niegas porque te resistes. ¿A qué te resistes? A la nueva realidad. Las emociones dominantes en la etapa de negación son el miedo y la sorpresa que se manifiestan a través de:

- Incredulidad.
- Confusión.
- Inconsciencia.
- Descalificar la realidad.
- Bloquearse.

La negación se da porque una parte de ti está atada al pasado y a lo que perdiste. Con la negación rechazas también las opciones o maneras de responder ante esa nueva realidad, incluso te rehúsas a aceptar los hechos que tienes frente a ti.

Pero... ¿por qué se da esta fase? Porque te aferras a la esperanza de que todo volverá a la «normalidad» perdida. La negación se basa en la ilusión de que podrás regresar a un pasado que, si lo miras bien, tampoco es que fue excelente, pero que desde la perspectiva de la actual pérdida es percibido como más confortable en comparación con lo que se vive ahora. «La negación va acompañada de una mentira de conveniencia para ser adaptada en algún momento posterior, cuando se ha negociado una verdad aceptable», formuló el escritor estadounidense John Katzenbach.

Durante la negación estás confundido e inconsciente de lo que sucede, incluso puedes llegar a descalificar la realidad cuando dices «esto no está pasando», «esto no debería estar sucediendo», «por qué a mí». Aquí ya estás a las puertas de la victimización: cuando descalificas la realidad, niegas la posibilidad de hacerte cargo y de asumir la responsabilidad.

En esta etapa de la negación el nivel de energía productiva empieza a disminuir al estancarte en el bloqueo. Y el bloqueo paraliza e impide la acción. Si no te mueves, si no estás dispuesto a participar y te rehúsas a fluir, no saldrás de la negación o te costará mucho tiempo intervenir para mejorar.

Tras el asesinato de mi padre, yo atravesé otros dos duros procesos de duelo: luego de verme obligado a abandonar Venezuela, y el tercero tras la emisión de la orden de Interpol. Pese a mis conocimientos como *coach* personal y ejecutivo, en ambos procesos sobrepuse etapas y alargué otras en un camino accidentado que luego me cobró sus facturas por no haberlo recorrido correctamente.

La etapa de negación de mi proceso de duelo la viví durante el primer mes que residí en Estados Unidos, país al que llegué casi con lo que tenía puesto luego de que una madrugada fuera informado por mi amigo Tomás Vásquez de que la policía de inteligencia venezolana iría en mi búsqueda ese día.

Durante esas primeras semanas sentí mucho miedo, no dormía bien, sufría de síndrome persecutorio (obviamente, me estaban persiguiendo en Venezuela) y paranoia.

Al mes de llegar a Estados Unidos viajé a México y fui hospedado en un hogar lleno de amor, con lo que entré en un letargo que adormeció mi resentimiento y mi rabia.

En México viví en casa de unos amigos. Primero donde María del Carmen Lara, y luego en el hogar de Atilio Urdaneta. Me trataron como un hijo, como un hermano menor, me ofrecieron una mesada, me llevaban al cine y a comer. Yo estaba sereno porque aparentemente ya había aceptado mi realidad. Al principio de mi estadía en el país azteca no viví mi proceso de negación, gracias a esa familia que me llenó de cuidados. Esa confortable circunstancia adormeció mi dolor y mi ira, como una marea contenida.

¿Qué trajo como consecuencia? Tras iniciar un proceso de terapia, durante esos meses yo estuve rodeado de tanto afecto que reanudé mi trabajo como *coach*, impartí cursos y consultorías, y empecé a relacionarme socialmente. ¡Todo estupendo! Pero no aceptar de lleno mi circunstancia y anestesiar la ira de mi proceso de duelo no me curó. Y la tuve que vivir después...

«Lo que niegas, te somete. Lo que aceptas, te transforma», CARL GUSTAV JUNG

La ira

En esta fase del duelo la energía aumenta al conectarse con la rabia, el resentimiento y la indignación, mediante comportamientos como:

- Buscar causas y culpables.
- No aceptar la «injusticia».
- Quejarse.
- Postergar.
- Incapacitarse.

La energía aumenta, cierto, pero en una ola de pesimismo a manera de fuerza reactiva, no proactiva. Es una energía enfocada en la negatividad. Una furia dirigida hacia el exterior y, en ocasiones, hacia ti mismo. Es cuando ves al mundo como una diana en la que buscas culpables y causas, justificas tu decisión de no aceptar la «injusticia», te quejas, postergas por castigo y te incapacitas y saboteas a ti mismo.

Es decir, sigues bloqueado. Esto me sucedió en muchas ocasiones, y me sentía incapacitado internamente, estaba buscando a quién responsabilizar de mi situación y proyectar mi rabia. En esas ocasiones «mi observador» consciente me hablaba internamente y me daba alertas, pero en ese momento histórico mis emociones no estaban maduras ni me encontraba consciente de mi resiliencia.

«No hay pasión que quebrante
tanto la sinceridad del juicio como la ira»,
MICHEL DE MONTAIGNE

Las emociones negativas me invadieron, la rabia, el resentimiento y la indignación con el entorno eran manifestaciones de mi negación. Seguía experimentando resistencia pues mi negación no era más que resistencia pasiva, y mi ira era resistencia activa que se manifestaba hacia afuera y hacia adentro. Incluso renegaba hasta de las cosas en las que tenía cierto control.

La ira impacta el entorno social, aísla y repercute en la salud física. En un estudio realizado por investigadores del Duke University Medical Center, de Durham, Carolina del Norte, se evidenció que aquellas personas que conviven con la ira y la depresión aumentan en 19 % el riesgo de sufrir enfermedades coronarias.

En la fase de la ira puede invadirte la envidia, que se experimenta cuando se compara la vida propia con la de otras personas. «¿Por qué a ellos no les pasa nada y a mí sí?» o «¿por qué los demás están felices y yo no?», son pensamientos característicos de esta etapa. No te sonrojes, a todos nos pasa.

Te contaré una anécdota personal. Luego de salir de mi país tras enterarme de que sería solicitado por la policía venezolana, un amigo me reveló que en una tertulia entre gente de mi afecto hubo quien comentó: «¡Caramba!, por fin a Jacques le pasa algo malo». Mi amigo le preguntó por qué decía eso. El sujeto respondió: «porque

Jacques lleva años siendo exitoso, con buenos estudios, se graduó con honores en la universidad, un excelente trabajo y remuneración, es socio de un restaurante-pastelería, hace consultorías importantes, con estupendas relaciones sentimentales, salud...».

Mi amigo percibió en esas palabras cierto gozo porque «al fin le va mal a Jacques». Muy por el contrario, yo me preguntaba en ese preciso instante por qué otras personas gozaban de estabilidad mientras yo no tenía ni techo propio. Aunque la envidia es una emoción que puede presentarse durante la fase de la ira, suele ser breve y manejada saludablemente si se trabaja la consciencia personal.

Durante mi proceso de duelo, la ira encapsulada por el amor vivido en el hogar de María del Carmen explotó cuando supe de la medida de Interpol. Me enteré justo en el momento en que daba una consultoría en la ciudad de Guadalajara. Un amigo con un sentido del humor un poco *particular* y con varios millones de dólares en su cuenta bancaria —y yo con la cuenta bloqueada—, me dijo: «Saliste muy bien en la foto». «¿A qué te refieres?», le pregunté. «Que nos registraron a todos en Interpol y publicaron una foto tuya donde sales feliz». Irónicamente, en mi foto de Interpol yo salgo sonriente. Muchos afirman que el humor funciona en situaciones críticas. Reírse de uno mismo puede ser una buena catarsis, pero no que se rían de ti.

En ese minuto me conecté con la rabia. Fue como un clic. Interrumpí la sesión de *coaching* y me fui al hotel. Le di un golpe a la pared, me metí en la ducha y pasé dos horas llorando. Mi capital de trabajo es la reputación, pero una medida de Interpol impide viajar y te expone públicamente. Tras esa noticia, me sentí resentido con la gente, especialmente con el sujeto que bromeó a mitad de aquella situación... La orden de Interpol fue mi brusco boleto de ida de una etapa a otra dentro del proceso de duelo.

La negociación

Tras los dos primeros sentimientos del ciclo del duelo —la negación y la ira—, se pasa a la etapa de negociación en la que se pretende forzar los hechos: al no aceptarse la realidad, se intenta pactar con ella. En el caso de las rupturas románticas, la persona puede decirse a sí misma y hasta a su pareja: «Esta bien, entiendo que esta relación no está funcionando, vamos a reintentarlo y a darnos un tiempo para hacer las cosas bien, para pensar en positivo». Aunque sabes que la relación terminó, intentas hacer coincidir la realidad externa con lo que sientes dentro de ti.

Bajas de la cúspide de energía negativa de la ira en la que estabas hace poco, a la quietud y la inamovilidad. Intentas resolver la situación negociando, pero desde la perspectiva del *gatopardismo*: «cambiar para que todo siga igual». Buscas resolver la adversidad mediante soluciones parciales, falsas o aparentes, y no a través de un cambio definitivo. Las llamo «aparentes» porque terminan siendo un placebo y demoran el proceso de resiliencia, además de conducir al desánimo. En esta fase se manifiestan las siguientes reacciones:

- Anticipar y ajustar a conveniencia el cambio o la realidad.
- Buscar falsas alternativas.
- Asumir responsabilidad parcial.
- Apego.
- Fantasear en negativo.
- Crear posibilidades a corto plazo.

Durante la negociación tratamos de crear una cuasi realidad que es una mezcla entre aquel pasado «confortable» (lo que cambió) con la nueva situación. Es posible que reconozcas lo que pasó, pero en el fondo no aceptas y, por lo tanto, no tomas acciones correctivas. En esta etapa quizás te abres a buscar ayuda, pero te asaltan la incertidumbre, ese no saber qué va a pasar; y el desconsuelo, muy vinculado con el desánimo.

En mi caso, la orden de Interpol me sumergió de lleno en el desconsuelo para seguidamente arrojarme a la negociación. Cuando se desplomaron mis trámites migratorios en México y empecé a gestionar el asilo en Estados Unidos, negociaba conmigo mismo falsas soluciones y asumía parcialmente la responsabilidad de lo ocurrido. «Esto me pasa por meterme en donde no debo», me decía, aunque aún responsabilizaba a otras personas por lo ocurrido.

¿Qué es lo que debemos decirnos para realmente asumir la responsabilidad? Podríamos empezar por ver el panorama desde «cómo empezó» y no desde «lo que pasó». Así no nos hablamos con frases que no tienen un trasfondo responsable. Se necesita honestidad y buena memoria para ver el panorama desde el principio.

Tras salir de México de nuevo hacia Estados Unidos, que para entonces me era un país desconocido, sin relaciones personales o profesionales, llevé en el equipaje mi desconsuelo e incertidumbre. Viví tres meses en casa de mi amigo Atilio, en Miami Beach, y luego tres meses más en casa de Flavio Guaraní, ya hoy fallecido, y Huguette, su esposa.

Posteriormente, cuando me mudé a mi apartamento, por un tiempo dormí en un colchón inflable, arropado con sábanas prestadas, y comía en platos, vasos y cubiertos plásticos. Una parte de mí se aferraba a la falsa posibilidad de volver a México. «Esto pasa rápido», pensaba. Trataba de asimilar el proceso, pero básicamente yo procrastinaba.

La depresión

Al no lograr tomar el control de lo que pasa afuera, la energía baja de nuevo para darle paso a la depresión, un espeso cóctel de tristeza, frustración y nostalgia. Acá la energía productiva es mínima y se forzará aun más la situación para intentar recuperar las condiciones del pasado. La depresión se manifiesta a través de:

- Expresar mayor tristeza.
- Sentir indefensión.
- Mostrar pasividad.
- Aumentar el aislamiento.

En resiliencia esta depresión no es una condición clínica, sino parte del proceso de la espiral de desánimo, aunque es usual en personas que han sufrido una pérdida de un ser querido presentar síntomas comunes con el diagnóstico de la depresión.

Existen factores de riesgos que pueden aumentar la posibilidad de sufrir depresión, tales como poco soporte social, escasa experiencia con la muerte, historia previa de depresión, así como síntomas depresivos tempranos en una reacción de duelo.

No obstante, entre las diferencias entre el duelo sano y el trastorno depresivo, la psicóloga española Sara Losantos apunta que durante el primero el dolor aparece en forma de oleadas y coexiste con momentos de optimismo y esperanza; mientras que en el trastorno depresivo mayor, el sentimiento predominante es el vacío y la incapacidad casi absoluta de experimentar felicidad o placer.

«No mido el éxito de un hombre por lo alto que llega, sino por lo alto que rebota cuando toca fondo», GEORGE PATTON

En mi proceso personal, ¿cómo supe cuándo me sumí en la depresión? En ocasiones me mostraba pasivo, me aislaba y permanecía sumido en un revoltijo de emociones que combinaba el miedo, el resentimiento y la indignación porque no quemé ni identifiqué claramente cada etapa. Sufrí hasta de inapetencia sexual y perdí el dominio de mis habilidades. Me sentía frustrado y nostálgico por el pasado, extrañaba mis relaciones, a mis familiares y amigos, mi espacio, mi hogar.

La manía persecutoria era constante. Al punto que, durante un seminario al cual fui invitado, mi maestro John Morton, guía espiritual y director del MSIA (siglas en inglés de Movement of Spiritual Inner Awareness), movimiento al que pertenezco desde hace tres décadas y sobre el cual me extenderé más adelante, me solicitó que mirase hacia la puerta. «¿Para qué?», le pregunté. «Para que veas que nadie te persigue».

Fue cuando empecé a asimilar la realidad. Se trató de una toma de consciencia tras mucho tiempo de meditación y de reflexión producto de un periodo de aislamiento que transformó mi introspección en observación consciente.

Aunque durante la etapa de depresión se rechaza el apoyo social, ese aislamiento puede transformarse en introspección y observación consciente: un nivel de aislamiento sano y dosificado es beneficioso para explorar tu intimidad y las riquezas que ella contiene.

Entonces decidí experimentar la tristeza. A pesar de que mi ego en ocasiones disimulaba esta situación, decidí sobrepasar esas limitaciones. Y cuando lloraba, ¡lloraba de veras! Cuando me sentía indefenso, llamaba a gente para pedir apoyo. En ese momento yo elegí vivir mi duelo. Fue cuando empecé a asumir mi nueva realidad.

La aceptación

Tras la negociación y el período depresivo se llega a la etapa de la aceptación. Acá se comienza a experimentar cierto nivel de estabilidad y confianza. Empiezas a reconocer las circunstancias, y a comprender que lo que sucede dentro de ti es una percepción de la realidad y no la realidad que, en las fases anteriores, buscaba adaptarse a tus anhelos.

En este punto del proceso de duelo asumes que la pérdida es inevitable, lo que requiere de un cambio de visión de la situación pasada y abrazar el presente. La aceptación incluye adoptar hábitos que generen confianza y paz, y se expresa a través de las siguientes acciones:

- Tomar responsabilidad sobre lo sucedido.
- Asumir compromisos personales.
- Proponer ideas y acciones para adaptarse al cambio.
- Inspirar y cooperar con el entorno.
- Transmitir optimismo

Tras rebasar mi etapa de depresión, inicié un proceso de búsqueda de respuestas, no en el espejo retrovisor que solo arroja imágenes del pasado, sino en la exploración de opciones para transformar mi ahora. Dentro de mí, sabía que era capaz de aceptar, adaptarme, recrear mi realidad y reinventarme.

John Morton fue la clave de una revelación al señalarme que hasta que no comenzara a invertir energía de hogar en mi apartamento, mantendría el apego por el hogar del pasado. Así que compré una cama, empecé a decorar, puse en venta muchos objetos personales en Venezuela, pero conservé otros para guardar recuerdos queridos que me conectaran a la sensación de hogar.

En fin, le imprimí energía de hogar a un espacio que hasta ese momento era un inmueble vacío porque un colchón inflable, vasos y cubiertos desechables no son un hogar. Cuando recobré la calidez hogareña, me sobrecogió una sensación de tranquilidad y asumí la responsabilidad plena de lo sucedido, con lo que recuperé mi flexibilidad, mi adaptabilidad y mi fortaleza.

Tras comenzar a vivir la etapa de aceptación de la realidad, mi energía productiva subió, trabajé de nuevo, recibí de regalo una bicicleta (como vivía cerca de la playa, ¡fue uno de los mejores obsequios que me han dado!), cuidé mi salud, reinicié los servicios comunitarios y las relaciones sociales. E imaginé la idea de escribir este libro. Cuando las personas se acercaban para hablar de mi problema legal, ya no lo recordaba con rabia, resentimiento o tristeza.

El trámite de asilo en Estados Unidos fue el cierre de oro de mi proceso de aceptación. Demoré un día en firmar el documento porque me advirtieron que, tras firmarlo, no podría volver a Venezuela, a menos que se desestimaran las acusaciones en mi contra. De modo que suscribir el documento de asilo significó abrazar la experiencia que debía vivir y empezar a crearme un mundo diferente.

¿CUÁNTO DURA EL DUELO?

La crisis es un tiempo de dificultad. Sí, un tiempo, un lapso con principio y fin, un período crítico para tomar una decisión importante o difícil, ya sea cambiar de país, de trabajo, de amor, de casa o de estilo de vida. Las cinco fases del proceso de duelo pueden extenderse, sobreponerse o disminuirse durante una crisis. Son situaciones de cambio, incluso de nuestras creencias y valores. Sea cual fuere el caso, el proceso de duelo conforma las fases de adaptación a la nueva situación que sigue a cualquier pérdida, ya sea física, cognitiva, emocional, espiritual o sistémica.

Pero... ¿cuánto dura el duelo? Puede extenderse por días, semanas, meses, años o incluso toda una vida. El tiempo de sanación dependerá del nivel de apego a lo faltante, ausente o perdido; y se alarga a partir de la elaboración mental que nos formamos sobre esa pérdida. El luto se alargará si *sobrecreas* la pérdida. ¿Qué es la *sobrecreación*? Es exagerar mentalmente el significado de una circunstancia.

Hay quienes piensan que su vida está acabada porque terminaron una relación amorosa, o alguien amado haya transcendido, o quien cree que su existencia acabó por haber perdido un miembro del cuerpo. Cuando no se recuperan o no son resilientes, quedan atrapados en el dolor y el apego. Pero si comprendes que tu propósito o misión de vida se eleva por sobre cualquier pérdida y que dicha pérdida trae un aprendizaje o un nuevo punto de referencia a tu vida, te aferrarás a ese propósito existencial y acortarás el tiempo del duelo.

Las fases del proceso de duelo no se pueden medir matemáticamente. Pero si reconoces que posees la habilidad de ser resiliente, el tiempo que permanezcas en las diferentes etapas será más corto. En realidad, esta sucesión de ciclos es la toma de consciencia de un cambio de estado *A* al estado *B*. Tomar consciencia de este tránsito hará que te recuperes mucho más rápido. En todo caso, saltarse alguna de las etapas del duelo traerá repercusiones a futuro: aquella que no sea cumplida satisfactoriamente, tarde o temprano tocará a tu puerta. Y será peor. Puedo afirmarlo por experiencia personal.

Para rehacer tu vida o empezar a tomar acción, debe haber un tiempo adecuado para descansar, reflexionar y sanar. Hay que actuar, pero alcanzar el balance requiere un tiempo para reflexionar. Con esto no quiero decir que te quedes echado en el sofá de tu casa, sino darte permiso para conectar con la naturaleza o ir a la iglesia. Un tiempo para tomar consciencia y equilibrar tu vida.

«Tiempos difíciles no duran, personas fuertes sí», ROBERT H. SCHULLER

Cada duelo se vive de una forma muy personal, de modo que las distintas etapas no son uniformes. Cada cual vivirá su proceso según las herramientas con las que cuente. Puede que tu fase de negación sea muy larga, y corta la de la ira, o viceversa. En mi caso, la fase de negociación luego de la muerte de mi padre y la crisis con la entidad bancaria, se extendió por buscar soluciones falsas.

Es importante completar este proceso de luto para recordar con nostalgia, pero no con dolor. Es sano evocar las experiencias dolorosas, pero la clave es cómo se imprimen en la memoria emocional. Eso se logra cuando se alcanza el equilibrio físico, cognitivo, emocional, espiritual, en un balance integral o sistémico. Recordemos el sabio consejo: «Tenemos que internarnos en la parte oscura de nuestro ser y amarla. Porque amarla es la llave de la trascendencia. Debemos asumir y aceptar que es parte de nosotros».

Solo cuando cierras el ciclo de duelo y estás plenamente consciente y te haces cargo, puedes apreciar con serenidad tu tránsito por ese ciclo natural de lucha. Cuando realizas una retrospectiva de lo vivido, conviertes tu proceso de duelo en una crónica, en una historia, en una experiencia. Es en ese momento cuando compartes el luto como si se tratara de un relato aleccionador. Incluso un legado. Como este libro que estás leyendo.

Capítulo IV

Tomar consciencia, puerta hacia la recuperación

Si te inmovilizan los pensamientos negativos o te invaden el miedo, la rabia, el deseo de controlar, la angustia y el apego a lo pasado, la toma de consciencia te libera de las ataduras.

«Adueñarte de tu historia es lo más valiente que jamás harás», BRENÉ BROWN

PREGÚNTATE SI...

- ¿Qué tipo de pensamientos tienes cuando enfrentas una situación adversa?
- ¿Le comentas a otros tus crisis con el propósito de despertar lástima?
- Cuando rompes una relación amorosa, ¿lo haces gradualmente o a la brevedad posible?
- ¿Sientes la necesidad de controlar cada aspecto de tu vida, ya sea en el trabajo, la familia o la relación de pareja?
- ¿Puedes hablar libremente sobre asuntos que te asustan o inquietan?
- ¿Eres una persona que despierta en otros aprecio y respeto?

Salir fortalecido de situaciones adversas implica que, ante futuros eventos que despierten los mismos sentimientos de frustración, tristeza, rabia o desesperanza, reaccionarás de forma resiliente. Pero si no tomas consciencia de cómo superaste una crisis, te quedarás atascado en los percances por venir.

De allí que crear resiliencia requiere de una toma de consciencia que incluya decirte a ti mismo «tengo todo dentro de mí» para reencontrar tu esencia y sentirte capaz de transformar tanto lo interno como lo externo. Cuando apagas tu consciencia ante la situación de dolor, sufres una contracción que te conduce a sentirte víctima y a ahogarte en la rabia, la ansiedad y la angustia por un pasado que ya no está. Si no accedes a ese estado de consciencia, te verás impedido de ampliar tu mirada hacia escenarios de transformación y trascendencia.

«La diferencia entre un guerrero y un ser humano común es que el guerrero está consciente y una de sus tareas es estar alerta, esperando», CARLOS CASTAÑEDA

La diferencia entre emplear tus propias herramientas personales para convertirte en un ser resiliente y tener que acudir a ayuda especializada para salir de un pozo emocional, es la consciencia que tengas de la situación. Necesitas estar consciente incluso para admitir que no puedes manejar por ti mismo un determinado episodio y, pasada la tempestad, capitalizarla como experiencia y aprendizaje.

LOS 2 FACTORES INTERNOS

¿Cuándo me di cuenta de que yo debía hacerme cargo de mí mismo y crear resiliencia? ¿En qué momento empecé a tomar consciencia de mi situación y actuar en consecuencia? Cuando viajé de México a Estados Unidos, luego de la orden de Interpol.

En páginas anteriores les narré que durante esa época consideraba mi apartamento en Miami como un lugar de paso. Pero luego de procurarme una cama propia y desechar el colchón inflable en el que hasta ese momento dormía, cuando adquirí una nueva lencería y una modesta vajilla, empecé a experimentar la sensación de hogar.

Algo tan simple como una cama o un juego de platos fueron símbolos que instalaron bajo aquel techo la calidez de la energía hogareña. Insisto en ese episodio para recordar que a veces no consideramos el impacto de las cosas pequeñas que, puestas en un lugar estratégico, impactan profundamente nuestra vida. Un grano de arena en la playa no importa, pero ese grano sí que importa cuando entra en tu ojo.

Pero todo debe iniciarse por la toma consciencia que lleve a identificar la manera en que manejamos los percances, y qué aspectos de nuestra personalidad juegan a favor o en contra. Para lograr este propósito, reconoce primero dos elementos que atentan contra nuestra capacidad resiliente: los apegos y el saboteador.

Aprende a soltar los apegos

El apego es, según el diccionario de la Real Academia, «afición o inclinación hacia algo o alguien». Diversos autores, como el psicólogo y escritor italiano Walter Riso, sostienen que los apegos son una fuente de sufrimiento de la persona aferrada con sus uñas y dientes a algo o a alguien. Ahora te pregunto: ¿alguna vez has reflexionado sobre tus apegos del pasado? ¿Has considerado que esos apegos no te permiten vivir el presente y recibir las bendiciones que te rodean?

Antes de seguir, quiero aclarar que extrañar y sentir nostalgia son emociones muy distintas a sentir apego. Una de mis mayores nostalgias son aquellas mañanas de domingo cuando me sentaba ante la mesa en casa de mi madre para saborear unas deliciosas panquecas acompañadas con huevos revueltos con queso y zumo de naranja recién exprimido. Ese recuerdo me conecta con una emoción. Pero ahí no hay dolor. También puedes extrañar a alguien, y gracias a ese extrañamiento se experimenta cierta efervescencia nostálgica dirigida no a una vivencia, sino a una persona. En la nostalgia no mandan la necesidad ni la dependencia, sino el vínculo emocional con el recuerdo de una vivencia. Aunque se trata de un sentimiento de extrañar, es un proceso neutro. En Brasil utilizan una palabra para ese «extrañar amoroso y neutro»: *sau•a•es.*

El apego no. El apego es perjudicial cuando, como si se tratase de una cuerda invisible, una experiencia del pasado te mantiene atado emocionalmente a ella. Traes al presente ese recuerdo, pero allí hay dolor porque te sobrecoge la ausencia: «no quiero desprenderme de...», «tengo necesidad de...», «dependo de...». El apego te encadena al pasado y forma parte de varias etapas del proceso de duelo: es la negociación que transas contigo mismo para mantenerte en el ayer y aferrarte a lo que allí había y ya se ha ido. Produce el beneficio aparente o el premio temporal según el cual no se reconoce la crisis y que todo anda bien.

Una cosa es rescatar y honrar el pasado, y otra es vivir en él sin movilizarte en el presente y de cara al futuro. Los apegos dificultan el proceso de resiliencia al asociarse a una carga emocional negativa. Te conectan con el vacío, con el rol de víctima y con la pérdida. Hay numerosas emociones asociadas a los apegos porque en el fondo los apegos se vinculan con la dependencia, la necesidad y el control.

El apego lastra y dificulta superar la experiencia pasada. Para ser resiliente hay que ser adaptable, flexible, soltar y fluir. Y el apego, por contener los atributos opuestos de la resiliencia, no permite fluir.

Te invito a entablar una conversación contigo para, sobre la base de tus experiencias, descubrir si mantienes apego a los procesos de dolor. Si luego de este ejercicio descubres un beneficio aparente producido por esa devoción por lo negativo e identificas un patrón establecido a partir de tales experiencias, enciende las alertas.

Una primera recomendación para desmontar los apegos es tomar las riendas de tu vida. Reclamar tu territorio interior significa despertarte para entrar en un estado de observación e identificar los apegos mediante las siguientes acciones:

- Tomar consciencia de tu territorio interior y de tu capacidad resiliente.
- Aceptar la realidad.
- Empezar a crear la nueva realidad.

Sueltas así suenan como misiones imposibles. Pero formar resiliencia es empezar a asumir cuáles asuntos del pasado debes soltar y cuáles rescatar para construir un nuevo presente, en el que florecerán nuevas relaciones y formas de vincularse con las antiguas amistades y con la familia. Soltar apegos también es asimilar que las relaciones se transforman y que los hábitos cambian.

Ver otras películas, visitar lugares diferentes, leer libros nuevos, escuchar otra música... forma parte del soltar y de comprender que ya no puedes seguir amarrado a un pasado que te proporcionaba un control aparente de tu vida. La resiliencia te lleva a descubrir que, en realidad, no ejercías el dominio, sino que te encontrabas sumergido en una zona de comodidad. Y, obviamente, uno cultiva apegos a personas, objetos materiales o lugares para mantener la sensación interna de la zona de comodidad.

Solo hay dos formas de soltar los apegos: de manera rápida o lenta. ¿A qué me refiero? Si estás terminando una relación amorosa, desvincúlate de los perfiles de esa persona en las redes sociales, bota o regala los objetos que te la recuerden, sal con nuevos amigos, emprende proyectos ambiciosos, en fin, ¡ponte en modo optimista!

Pero soltar lento comprende seguir en las redes sociales cada actividad que esa otra persona realice en su día, qué desayunó o almorzó, recuperar del fondo del clóset los regalos que te entregó el pasado Día de San Valentín, frecuentar los mismos sitios que visitaban juntos. Soltar lento es procrastinar el adiós definitivo.

Necesitas soltar lo más rápido posible, con amor y determinación. Si decides reaccionar con lentitud, el sufrimiento será mayor y el proceso de duelo se alargará en el tiempo.

La observación consciente permite soltar rápido. Te da a conocer cuando tus pensamientos se dirigen al pasado para engancharte con emociones desalentadoras. Con ella puedes descubrir que necesitas mover tu energía al próximo nivel para explorar terrenos desconocidos.

«A medida que te reconcilias contigo mismo, liberas tu energía para enfocarte en tu intención» JOHN MORTON

El saboteador

Muchos de los comportamientos limitantes de uno mismo se resumen en el saboteador. Se manifiesta en actitudes y comportamientos como el autoengaño, la ansiedad y la preocupación, más emitir juicios contra los demás y contra ti mismo.

El saboteador también se hace presente cuando finges que estás bien o te conectas con la rabia, la duda, el miedo o el control. Abundan los términos para catalogar a esta parte de nosotros que porfía para hacernos dudar de nuestras capacidades:

- El tirano.
- El personaje limitante.
- Mi parte oscura.
- Mi negatividad.

El saboteador tiene su propia «personalidad» e intenciones. Esa oscura parte nuestra procura en todo momento no aceptar la realidad, mantener fantasías paralizantes. Hasta te susurra al oído como esas caricaturas donde un diablillo se encarama sobre los hombros para decir «no eres bueno», «no eres suficiente», «no puedes ni eres capaz».

La seductora forma en que te habla te sumerge en la negatividad y te hace olvidar tu esencia. Cuando te dejas cautivar por él, te quedas enfrascado en la negación o el rechazo, en el desaliento, en el juicio de «por qué me pasó esto a mí» y en la victimización. ¿Es el saboteador quien no te permite probar un nuevo paradigma?

Su propósito es impedir la toma de consciencia, confundirte y mantenerte cautivo entre los barrotes de comportamientos limitantes. Cada uno de nuestros pensamientos está mediado por creencias, recuerdos y hábitos que no se pueden eliminar, sino más bien desaprender para comenzar a gestionar nuevos paradigmas. Nuestra parcela saboteadora personal empieza por los pensamientos presentes que nos arrastran a sentir emociones negativas. Y cuando piensas que las cosas van a salir mal, te conectas con el miedo, la duda y la desconfianza. Por tanto, te programas para que las cosas salgan mal.

Confieso que mis características saboteadoras más marcadas son el miedo al futuro y a la escasez, la falta de confianza en mi capacidad creativa, así como procurar la aprobación y el reconocimiento de los demás. También, la ilusión del control es la característica más importante de mi personaje limitante. Por eso tardé tanto en tomar consciencia de la crisis que viví. Estaba acostumbrado a tener el control de mi trabajo, de mi negocio, de mis viajes, de mi casa, de mi familia.

Cuando ocurre la crisis con la entidad bancaria, se me desploma el piso y pierdo mi espacio, el trabajo y el negocio, empiezo a depender materialmente de los amigos y a vivir en una habitación prestada... cuando mi esquema de control explota en pedazos, mi *ser falso* inició su aniquiladora misión de instalar juicios en mi cabeza. Y empecé a darme por vencido. El saboteador me empujó hacia la espiral del desaliento al conectarme con lo peor de mí, vendándome los ojos ante la posibilidad de resurgir, pero si estoy consciente, puedo agradecer sus actos por haberme permitido tocar fondo para renacer.

¿Cómo se forma el saboteador?

El saboteador comienza a habitarte desde la infancia. El niño, que es una especie de esponja durante su proceso de formación de la personalidad, va aprendiendo comportamientos de sus padres y de las personas que actúan como sus modelos y que establecen juicios o etiquetas a ciertas conductas.

Si un niño es introvertido, se le empieza a clasificar de tímido y callado; o si es expresivo, se le cataloga de extrovertido y abierto.

Tales juicios con que nos etiquetan cuando somos niños forman una capa alrededor del *Yo soy*. Y ya de adultos actuamos en consecuencia. Explicado de manera gráfica, imagínate un círculo en cuyo centro destaca la frase *Yo soy*, y alrededor otro círculo denominado *Comportamientos*.

Esos comportamientos, algunos positivos y otros limitantes, los aprendemos de pequeños para luego reproducirlos e irlos validando a lo largo de la vida. Al repetirlos insistentemente, se integran a nuestra personalidad. Repetimos tanto esos comportamientos que llegamos a convencernos de que somos esos comportamientos hasta llegar a confundirlos con el *Yo soy*.

Como un *software* de computadora, los pensamientos constantes crean una programación en nuestro *disco mental* que, con el tiempo, se transforma en paradigmas. Las experiencias desafiantes validarán esos pensamientos hasta anclarte a pensar, sentir y actuar de forma predeterminada: si crees que eres torpe, actuarás con torpeza. Si te supones tímido, al llegar a un evento social (¡si es que decides asistir!) irás directo a sentarse en la silla más apartada del salón. Posteriormente, al crecer y al no querer que tus comportamientos te representen ante la sociedad, comienzas a proyectar una imagen falsa de representación de tu ser o que representa falsamente a tu ser.

En mi infancia escuché tantas veces que yo era tímido, que luego sentía vergüenza de exponer en clase, hablar en público y expresar mis emociones. Repetí tanto esos comportamientos que en un momento asumí que eran parte de mí. ¿Yo era realmente esa conducta? No. Somos mucho más que una conducta, una reacción o un resultado. Somos esencia.

Deseamos librarnos de comportamientos autodestructivos, pero solemos movernos de un comportamiento aniquilante a otro. Eso no es resiliencia porque ahí no hay toma de consciencia ni acción correctiva. Nos volvemos adictos a las frases limitantes, a la culpa, a la manipulación, al control y a buscar constante aprobación. Mientras sigamos enganchados a esa «adicción», estaremos de manos atadas para tomar consciencia de nuestra esencia. Y es ahí cuando el saboteador o personaje limitante se frota las manos para embestir y esclavizar nuestros pensamientos, emociones y acciones.

RECONOCE A TU SABOTEADOR

¿Qué mensajes me da ese enemigo interno en una situación en que necesito ser resiliente y elevarme? ¿Cómo funciona este proceso limitante? Acá entran en juego los aspectos del saboteador que te alejan de tu esencia:

- Juicios.
- Autoengaño.
- Ansiedad.
- Miedo.
- Control.

Juicios

Cuesta admitirlo, pero juzgar a otros a veces nos hace sentir bien. ¿Por qué? Cuando juzgas a un tercero lo ubicas en un escalón inferior al que mentalmente tú ocupas y, obviamente, creerse superior hincha el ego y reconforta. Por el contrario, cuando entras en una crisis o situación de pérdida y no puedes juzgar a los demás porque supones que se encuentran en una posición privilegiada con respecto a ti, diriges el juicio contra ti mismo y empiezas a minimizarte en comparación con el resto del mundo. Es el inicio de la pérdida de la esencia. En este punto fijas decretos contra ti mismo y lo que te rodea: «mi vida es así», «esta empresa no sirve», «yo no soy capaz».

Incluso, puedes llegar a sentirte «inadecuado» cuando notas que «los otros» alcanzan el éxito mientras tú permaneces en el foso. Te rechazas a ti mismo y lo que sucede a tu alrededor, sentimientos comunes durante el proceso de duelo, optando por distraerte con el placebo de buscar afuera lo que necesitas encontrar dentro de ti.

Durante mi crisis, demoré en activar mi fuerza resiliente porque yo intentaba conseguir afuera lo que no sucedía adentro. ¿Qué hice durante mis primeros meses en México? Busqué trabajo, empecé a impartir *coaching* y consultorías, intenté atropelladamente recuperar el estatus perdido... como tratando de recobrar la vida confortable de la que disfrutaba en Venezuela. Pero era una búsqueda más externa y planteada desde el comportamiento, no desde la esencia.

No es lo mismo emprender el proceso del perdón a ti mismo desde el ego y lo externo, que dándote cuenta de que pudiste haber actuado de manera distinta y tomar las acciones necesarias para realinearte internamente. Por eso para tomar consciencia necesité antes tocar fondo.

Cuando tocas fondo y descubres lo que creaste, provocaste y permitiste, te conectas con tu ser verdadero y empiezas a recuperar al ser humano abierto a aprender y a tomar acción. Y al tomar acciones correctivas sobre la base de tu esencia, es cuando la toma de consciencia se profundiza y retomas el volante de tu existencia.

Autoengaño

El estudioso norteamericano Robert Trivers, licenciado en Historia y doctorado en Biología por la Universidad de Harvard, en su teoría del autoengaño define este fenómeno como el acto de mentirse a uno mismo y dejar fuera de la consciencia la información verdadera. Y cuando la verdad queda relegada al inconsciente y la mentira a la consciencia, expone Trivers, la mentira se convierte en creíble tanto para quien la ejerce como para el resto de las personas. Esa parte negativa o saboteadora te mantiene en una situación de autoengaño, como que la realidad «no está sucediendo» y que yo puedo «regresar al pasado».

Es muy seductor pensar que nada malo ha sucedido porque «fingir duele menos». Sin embargo, podemos mentirnos a nosotros mismos y a los demás por cierto tiempo, un día o una semana quizá, pero no la vida entera.

Todos tendemos a mostrar una imagen, un símbolo o una representación de nosotros mismos porque pasamos parte de la vida zigzagueando entre nuestra esencia y los comportamientos limitantes: las personas fingen para proyectar el reflejo que se espera de ellas. «¿Cómo está todo en la oficina?». «Muy bien», respondemos, aunque odiemos nuestro trabajo. O te preguntan «¿cómo va tu relación de pareja?» «¡Excelente!», aunque estés a un paso de separarte.

Ansiedad

El saboteador te sumerge en la ansiedad, que no es más que el estado de desasosiego, inquietud o temor producido ante una situación difícil, ya sea real o imaginaria. Afloran entonces otras facetas como la manipulación, el mentir, conectar con la rabia y la impaciencia.

Miedo

Definido como una sensación provocada por la percepción de un peligro, ya sea real o imaginario, el miedo es una ilusión producto de los pensamientos, aunque lo experimentamos de forma real.

Haz la prueba: si te atreves a salir de tu zona de comodidad y miras hacia atrás, te darás cuenta de que aquel sobresalto que sentías antes de abordar un desafío, era apenas un espejismo. Podemos clasificar el miedo en dos categorías, y aunque esto te suene muy simple, quiero mostrártelo así: existe miedo del malo y miedo del bueno.

El primero te paraliza y bloquea, puede llevar a darte por vencido porque te arrastra a apreciar el reto como una prueba superior a tus capacidades. Y si dudas de tus capacidades, tus expectativas sobre ti mismo estarán siempre por debajo. Te estancas. En el extremo opuesto y positivo, el miedo del bueno es una vibrante emoción antes de tomar un riesgo.

Yo aprendí a manejar el miedo como un aliado. Me tomó años esa toma de consciencia. Antes dudaba de si yo era capaz de superar retos. La vacilación me paralizaba y no me exponía ni me desafiaba lo suficiente. Como expliqué líneas atrás, de niño me fue inculcada la creencia de que yo era una persona tímida y poco comunicativa.

Al crecer, asumí esa creencia como un comportamiento y por mucho tiempo me ponía nervioso cuando debía hablar en público. No obstante, decidí incorporar un nuevo esquema mental y cambiar mis creencias. Me reté y enfrenté el miedo malo para convertirlo en miedo bueno.

Me planteé ser facilitador de Seminarios Insight®. Cuando logré modificar esa creencia, tomé acciones sobre lo que deseaba alcanzar. Me obligué a asumir esa meta. Ahora hablar ante un auditorio es para mí una actividad satisfactoria porque arraigué en mi mente que estar frente a un público es placentero. Convertí el miedo en un aliado.

Tu parte limitante o el saboteador te conecta con la rabia y el miedo, pero, aunque la sensación que genera puede ser física, el miedo es una fantasía negativa, una ilusión. Cuando te invada el miedo malo, pregúntate qué has sido capaz de lograr en el pasado. Yo lo hice. En mi peor momento me dije: «yo vengo de un lugar humilde. ¿Qué he alcanzado? Estudié Ingeniería Mecánica en una universidad pública, la mejor de mí país en esa área, conseguí con esfuerzo una beca desde los 16 años, hasta que me gradué. Comencé a trabajar, estudié un posgrado. Rompí los estándares familiares. Era exitoso como profesional, como *coach*, como emprendedor». Pero esa toma de consciencia de mis pasadas recuperaciones no se dio desde la perspectiva externa, sino desde las cualidades internas.

Tú también puedes reconectarte con tus logros, disciplina, constancia, amor, desapego, compromiso, y fortaleza en las dificultades para seguir adelante. Así estarás más consciente de los valores o cualidades que ejerciste para superar el miedo. Te reconciliarás con tu lado perseverante.

Control

La necesidad de controlar nos impulsa a querer traer de vuelta el pasado. Al igual que el miedo, la necesidad de control es una invención de la mente porque, en realidad, dominamos poquísimas cosas en este mundo. Pero el saboteador nos aleja de esa verdad. Te hace suponer que tienes el control porque recibes el beneficio aparente de la autosatisfacción, del ego, del poder que genera una supuesta autoridad sobre las cosas. Y como ese beneficio aparente es satisfactorio, seguimos repitiendo el mismo esquema.

Incluso empieza a buscar agentes externos que refuercen esa sensación de seguridad. De allí que yo aceptara el cargo del banco: representaba dinero y una mejor posición social. Pero en el fondo era un desempeño ajeno a mi esencia. Esa búsqueda externa es insaciable, es un barril sin fondo. Tratas de obtener el consentimiento de los demás, pero esa ansia nunca se satisface porque lo que realmente la llena es tu propia aprobación.

Cuando se entra en un proceso de duelo o experiencia desafiante, se necesita «volver al hogar», que es retomar tus cualidades primigenias. En caso contrario, si no te centras en la esencia, empiezas a aferrarte a las apariencias y a los símbolos externos. Si la búsqueda de aprobación y de control te manejan (o el miedo, o la rabia u otro comportamiento del saboteador), no podrás recuperar tu esencia.

MIDE TU CAPACIDAD DE RESILIENCIA

Luego de aclarar el tema de los apegos y el saboteador, ahora te invito a estudiar tus cualidades resilientes para identificar tus fortalezas, más las debilidades a combatir. El primer paso es responder las siguientes 15 preguntas divididas en 4 categorías:

YO TENGO

Este *Yo tengo* se relaciona con las personas que te rodean. La pregunta es: ¿Tengo a personas en mi entorno en quienes confío y me quieren incondicionalmente? Revisa las siguientes cuestiones:

		Sí	No
1	¿Yo tengo personas que me ponen límites?		
2	¿Yo tengo personas que me muestran una manera correcta de proceder?		
3	¿Yo tengo personas que quieren que yo aprenda a desenvolverme solo o que asimile una lección de lo que me ocurre?		
4	¿Yo tengo personas que me puedan asistir cuando esté enfermo o en peligro, o cuando necesite preguntar algo?		

YO PUEDO

El *Yo puedo* revela las cualidades y capacidades personales necesarias para encarar desafíos:

		Sí	No
5	¿Yo puedo hablar de mí mismo sobre cosas que me asustan o que me inquietan?		
6	¿Yo puedo buscar la manera de resolver los problemas por mí mismo?		
7	¿Yo puedo controlarme cuando tengo ganas de hacer algo peligroso o que no está bien?		
8	¿Yo puedo buscar el momento apropiado para dialogar con alguien o tomar acción?		
9	¿Yo puedo encontrar a alguien que quizás me ayude cuando lo necesito?		

YO SOY

El *Yo soy* expresa los elementos que estimulan tu fuerza interior. Para identificar tu saboteador debes poder identificar las cualidades esenciales que están contigo desde que naciste: la capacidad de investigar, la iniciativa, el entusiasmo, la creatividad, la afectuosidad, la transparencia y la sinceridad.

		Sí	No
10	¿Yo soy una persona por la que otros sienten aprecio?		
11	¿Yo soy feliz cuando hago algo bueno por los demás?		
12	¿Yo soy respetuoso de mí mismo y del prójimo?		

YO ESTOY

Si pensamos en inglés, el verbo *to be* se traduce como «soy» y «estoy»; pero en español el *yo soy* es diferente al *yo estoy*. Así que responde estas preguntas clave para identificar tu resiliencia:

		Sí	No
13	¿Yo estoy dispuesto a responsabilizarme por mis actos?		
14	¿Yo estoy seguro de que todo va a salir bien, es decir, de que confío en algo mayor que me apoya?		
15	¿Yo estoy dispuesto a escuchar *feedback* negativo y de atender mi intuición?		

De responder afirmativamente por lo menos a 10 de las preguntas expuestas, ¡puedes asumirte como un ser resiliente!

Claro, es imposible exhibir todas y cada una de esas cualidades como si se tratase de una colección de estampillas. No obstante, es un excelente mapa de navegación para detectar las zonas en las que estás bien equipado y aquellas a las que debes atender para afinar tu capacidad de resiliencia.

PENSAMIENTO CRÍTICO: AUTORRECONOCIMIENTO

¿Alguna vez subiste a un tren y momentos después te diste cuenta de que abordaste el vehículo equivocado, uno que no te llevará hacia tu destino? Así funcionan nuestros pensamientos. En la vida subimos al tren equivocado todos los días. Es como si por la estación ferroviaria de nuestra mente corrieran cientos de pequeños clones de nosotros mismos en busca de un tren para abordar.

Muchos de ellos toman los vagones equivocados porque a veces no saben a cuál dirección se dirigen. Ya dentro, el tren viaja tan rápido que no puedes saltar. Si encuentras el freno de emergencia, ¿lo oprimirías para detener el tren y tomar el correcto? ¡Ese freno es el autorreconocimiento!

Nunca disfrutarás de una existencia plena si no tienes bien identificada la dirección de tu viaje. Los valores personales son los que ofrecen una dirección a nuestra vida. Las metas son los destinos en el camino hacia esa dirección. Entonces, ¿cómo deseas ser recordado en tu vida?, ¿cómo alguien que se regenera y obtiene los resultados, o que anda perdido de tren en tren?

Tu mente puede jugarte malas pasadas. Así que a veces no te la tomes muy en serio porque solo hace su trabajo: producir pensamientos. Y en tus manos está la libertad de elegir a cuál vagón de pensamientos subir. Cuando los pensamientos negativos te invadan, pregúntate si las reflexiones desalentadoras te ayudan a llegar a dónde quieres ir.

Autorreconocerte es conectarte con tu *Yo soy*. Este proceso requiere mirar adentro de ti, especialmente cuando has estado durante mucho tiempo atento a lo que ocurre fuera. Es empezar a formar un pensamiento crítico contigo mismo. Pero con el término *crítico* no me refiero a juzgarte, sino a examinar tus posibilidades de cara a resultados y alternativas. El pensamiento crítico se transforma en negatividad cuando le imprimes emocionalidad. Así que busca ser neutro y observa objetivamente para transformar posibilidades.

El saboteador impide tomar el camino realista y desvía ya sea hacia la negatividad o, muy por el contrario e igual de contraproducente, al positivismo a ultranza. Y es que el exceso de pensamiento positivo también puede hacerte pensar que todo está perfecto.

Por supuesto que debes ser positivo, pero en vez de imponerte decretos definitivos del tipo «voy a lograrlo» o «lo lograré», afirma «estoy aproximándome a la meta, la observo». Con el pensamiento crítico podrás identificar de manera realista tu objetivo y mantenerte enfocado en él.

CONTRA LOS FANTASMAS DEL PASADO

En ocasiones no nos recuperamos porque evaluamos la crisis desde una perspectiva negativa, como un fantasma del pasado que regresa para seguir acosándonos, y no desde una experiencia que servirá para elevarnos. Son las dos caras de la misma moneda. Está a tu alcance elegir cuál tomar.

Si no erradicas los fantasmas del ayer y sigues enfrascado en lo negativo de las experiencias pasadas, consumirás tus energías y la vivencia desafortunada no será un punto de referencia para salir adelante. Luego de pasar por una experiencia que no funcionó, ¿qué hacer para reescribir las historias futuras? Por paradójico que parezca, ¡te invito a abrazar tus sombras personales!

¿Por qué abrazar algo malo? Porque es un aspecto limitante dentro de ti que necesitas desmantelar. Internarte en tu parte oscura te ayudará a tomar consciencia de ti y a realinearte con tu esencia.

- «No vuelvo a hacer negocios con otros porque mis anteriores socios me estafaron».
- «Ya no busco pareja porque siempre me son infieles».

- «Aunque no me guste, sigo en este trabajo porque ya me ha ido mal cuando decidí emprender».

Esas son algunas de las muchas creencias limitantes que terminan asfixiando tus cualidades y habilidades para superarte. Si escuchas esa voz dentro de ti machacando negativamente todo el tiempo, actuarás como ella lo determine. El propósito es reconocer a ese saboteador interno para cerrarle el juego.

La toma de consciencia es un camino hacia tu interior, donde te encontrarás con el saboteador interno. Así que pon la lupa sobre ese *ser falso* que habita en ti, y contrástalo con tu ser verdadero. Te obsequio el hermoso poema de la joven escritora española Elvira Sastre que te inspirará para alcanzar ese propósito:

No llames cobarde a alguien que tiene miedo,
solo abrázalo y dile que,
al revés de todo,
los monstruos existen hasta que les pones nombre:
solo los valientes lo hacen.

Lo que eres es algo mucho más grande que tus limitaciones. Cuando te conectas con tu capacidad de ser resiliente es porque te vinculas con tu esencia y no con tus comportamientos, lo que abre las puertas para resurgir, empoderarte contigo mismo y encontrar tu propia fortaleza. Reconocer esto es clave y requiere su esfuerzo. Nadie dice que es sencillo.

MEDITA PARA DESPERTAR A TU OBSERVADOR NEUTRO

La gente salta automáticamente cuando ve que un insecto se le acerca. Ni siquiera lo piensa. Igual pasa cuando aparecen los pensamientos desagradables: terminamos actuando por reacción. Pero imagina que cuando se asome el insecto de los pensamientos negativos, solo lo observas. Con este ejercicio de observación identificarás con calma cómo reaccionar sin agotar tus energías.

La observación neutra es una cualidad clave para el autorreconocimiento. Ante un proceso de toma de consciencia la mente vuela en diferentes direcciones: se evocan recuerdos, se construyen ideas buenas y malas, así como juicios de valor. El primer propósito del observador interno es ubicarte en el presente para que los pensamientos dejen de dar círculos como en un carrusel que mezcla el pasado y el futuro.

El desorden de pensamientos y emociones dispersa tu energía. Liderar tu crisis y autorreconocerte viene de observar con neutralidad esa dispersión de pensamientos y emociones, para focalizar tu ímpetu en la dirección correcta.

Una de las primeras acciones para resolver el caos en el que vives es observar. Observando tu mente identificarás mejor lo que te molesta. Es un reclamo de tu espacio interior. Al ser un observador neutro de ti mismo apreciarás la realidad de manera distinta y descubrirás soluciones. También empezarás a identificar comportamientos en ti que necesitan ser alineados.

Esa atalaya desde donde puedes observarte a ti mismo la construyes a partir de la meditación y la contemplación. Pero no necesitas adoptar una postura especial o acomodarte en un sillón a oscuras para hacer observación neutra. Solo observa, medita y contempla.

Cierra los ojos y mira dentro de ti. Explora cuáles son las características limitantes que te sabotean y toma consciencia de ellas. Explora la realidad presente. Observa que el pasado no existe, «ya no es».

Cuando ese saboteador interno te hable, reconoce que se trata de él y no de tu verdadera esencia. Esto permitirá elevarte y observar cómo se expresa ese aspecto limitante de ti: «No soy capaz», «no voy a poder», «la culpa es de otros», «quédate en donde estás», «busca lo externo».

Asume este proceso con serenidad: estar en el observador neutro es un sosegado proceso de espera y alerta. Ningún cazador pone una trampa mientras su presa observa. El saboteador que habita dentro de ti tratará de atraparte en tus pensamientos y emociones negativas, pero si te ubicas en estado de observación neutra estarás suficientemente alerta para hallar la negatividad.

Los juicios son una especie de lentes del saboteador. Pero cuando permaneces en la observación neutra, en una actitud con la que puedes contemplarte desde un lugar elevado dentro de ti, empiezas a recuperar tu mirada genuina. Como si estrenaras ojos nuevos. La observación neutra no juzga. Se manifiesta en la capacidad de decirte «estoy en negatividad» o «en este momento me juzgo».

Cuando emprendes este proceso de meditación empiezas a descubrir tus «adicciones». La toma de consciencia requiere romper con la rutina de tus comportamientos para cambiar el punto focal. Así como mantienes rutinas diarias —levantarte de la cama y poner los pies en el piso, ir a la sala sanitaria, cepillarte los dientes—, también tus comportamientos se vuelven parte de tu cotidianidad. Pero imagina que un día decides no levantarte del lado derecho de la cama, sino del izquierdo. ¡Sería estupendo! Lo mismo puedes hacer con los comportamientos limitantes de tu día a día.

DIAGNOSTICA TU HOY CON LA RUEDA DE LA VIDA

Cuando te mantienes enfocado en una crisis puede que pierdas el control de los otros aspectos de tu vida que están bien. Me explico: puede que mantengas una excelente relación con tu pareja e hijos, con lo que tu área familiar está en armonía; pero al perder tu empleo, la crisis laboral afecta tu relación con tus seres queridos y el conjunto de tu vida se desbarajusta por completo. Te desbalanceas y tu existencia como un todo pierde equilibrio.

El ejercicio rueda de la vida es ideal para evaluar los aspectos de tu vida que están estables y aquellos que se pueden mejorar. Es un esquema creado por Paul J. Meyer, pionero en el área de desarrollo personal y profesional, y fundador de Success Motivation Institute. Su propósito es determinar cuáles elementos de tu vida funcionan, y cuáles se encuentran frágiles para trabajar en ellos:

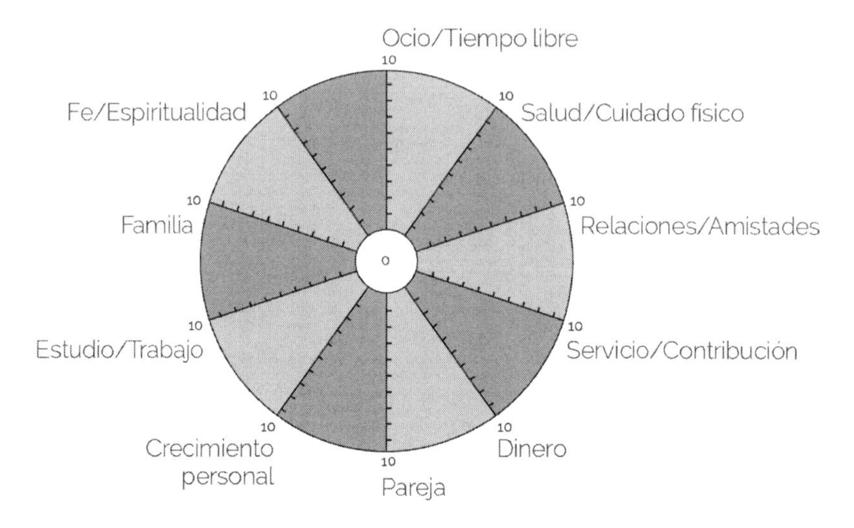

Muchos *coachs* utilizamos este método de diagnóstico. Consiste en un círculo cuyos radiales apuntan un área específica de la vida: salud, crecimiento personal, trabajo, familia, dinero, amigos, relación de pareja y el aspecto espiritual. Los radiales, trazados a partir del centro de la rueda hasta alcanzar el borde del círculo, representan puntuaciones del 1 al 10 a asignar a cada área.

Luego de la puntuación, deberás unir con una línea los puntos en los radiales y formar una figura. Lo ideal es que se forme una rueda. No obstante, si la figura generada es muy irregular, debes prestar atención a los puntos con menos calificación, es decir, aquellos más cercanos al centro. Las áreas en desbalance podrían terminar desbaratando el resto de tu existencia.

Si en este momento practico este ejercicio conmigo, veré que mi área de crecimiento personal está en excelente estado, realizo cursos, leo y consulto a un *coach* que me ayuda a superar obstáculos internos. Quizá esa área de mí no obtenga una calificación de 10, pero alcanza un 9. En cuanto al trabajo, le pondría un 6 porque aún no concreto algunos proyectos profesionales y sufro de sobrecarga de trabajo. En el área familiar, aunque mis parientes viven en otro país, mantenemos una relación armoniosa y nos comunicamos por los medios digitales (la rueda de la vida no ordena estar todo el tiempo con los tuyos, sino compartir tiempo de calidad, cuán importante es esa área para ti y qué acciones tomas para estar más compenetrados). A este aspecto familiar en mí le daría un 8, y así continúo hasta completarla.

Sugiero trazar la rueda de la vida luego de pasada la crisis, y tomar consciencia sobre cuál es tu realidad en el presente. Luego de obtener tu dibujo, que obviamente no será completamente redondo a menos que tengas una vida perfecta, ¿qué hacer con él? Te sugiero lo siguiente:

1. Reflexionar para producir ideas que balanceen la rueda. Luego, toma decisiones para recuperar el equilibrio.
2. Asegúrate de que la decisión esté alineada con tu propósito. Piensa en el impacto que esas decisiones tendrán en tu día a día y si sumarán o restarán.
3. Crea una meta específica para los aspectos que quieras balancear en la rueda. Evalúa la emoción, la dificultad y el impacto de esa meta.
4. Ahora, ¡pasa a la acción a partir de la decisión tomada!
5. Para tomar impulso, visualiza los beneficios que obtendrás si alcanzas la meta.

Capítulo V

Asume la responsabilidad: el poder está en ti

Cuando entregas a otros la responsabilidad de tu crisis estás abandonando tu poder. Y abandonar tu poder y no hacerte cargo dificultan superar las dificultades.

«Si te encuentras con un muro, no te des la vuelta ni te rindas. Averigua cómo escalarlo, atravesarlo o rodearlo», MICHAEL JORDAN

PREGÚNTATE SI...

- ¿Acostumbras a tomar consciencia de tu responsabilidad en una situación difícil?
- ¿Reconoces que tienes la habilidad para modificar las situaciones adversas?
- ¿Evades las responsabilidades?
- ¿Tomas acciones correctivas frente a los contratiempos?
- ¿Te sientes culpable o culpas a otros luego de desatarse una crisis?

A una tía le llevó diez años con el psicoanalista para concluir que su madre era la culpable de sus problemas existenciales. Y yo me pregunto: ¿de qué sirve pasar una década sobre el diván de un terapeuta para, finalmente, responsabilizar a otra persona? Esa fue la manera que encontró mi tía para evadir el compromiso consigo misma y no tomar acciones correctivas.

Todos corremos el riesgo de caer en ese juego de las culpas. Yo acepté ser vicepresidente de Planificación en Uno Valores y luego tomé un cargo en el Consejo de Administración del Banco del Sol, sin tener experiencia en ese campo. Aunque no provoqué nada de lo sucedido, gracias a mi desconocimiento e ingenuidad dejé que pasaran muchas cosas fuera de mi radio de comprensión. Luego tuve dos ocasiones en las que pude renunciar. No lo hice. Quedarme fue mi elección.

«El precio de la grandeza es la responsabilidad»,
WINSTON CHURCHILL

Tras desencadenarse la crisis, Tomás Vásquez, propietario de las mencionadas entidades financieras, me producía sentimientos encontrados: antes de mi toma de consciencia, le asignaba la responsabilidad de lo que me había sucedido. Pero él no era el responsable. Yo soy un adulto con capacidad de elegir. A mis decisiones les debo lo que pasó. Cuando se atraviesa una crisis es tentador culpar a otros, al entorno o a la situación del país. Pero tomar consciencia te abre los ojos y te hace admitir tu responsabilidad.

Luego de reconciliarme con esta verdad me concentré en el aprendizaje y el agradecimiento a Tomás por alertarme de la acusación judicial en mi contra, ayudarme a salir de Venezuela y luego viajar fuera de México tras la medida de Interpol, así como por contactar a los abogados que se encargaron de mi trámite de asilo en Estados Unidos.

Pero asumir la responsabilidad no se dio como por gracia divina: fue un resultado que vino mucho después, luego de atravesar el proceso de duelo, la espiral del desánimo, y lo que paso a explicar en las siguientes líneas: la dinámica de la responsabilidad. Todas esas son las fases que debemos atravesar antes de tomar acciones correctivas para superar definitivamente una crisis.

RESPONSABILIDAD

Seminarios Insight® me ancló uno de los conceptos que mayor impacto ha tenido en mi vida: la brecha que existe entre lo que es la responsabilidad y lo que mi mente interpreta de lo que es la responsabilidad.

La responsabilidad implica movimiento y energía. No es estática. Es un proceso de transformación integrado por tres fases:

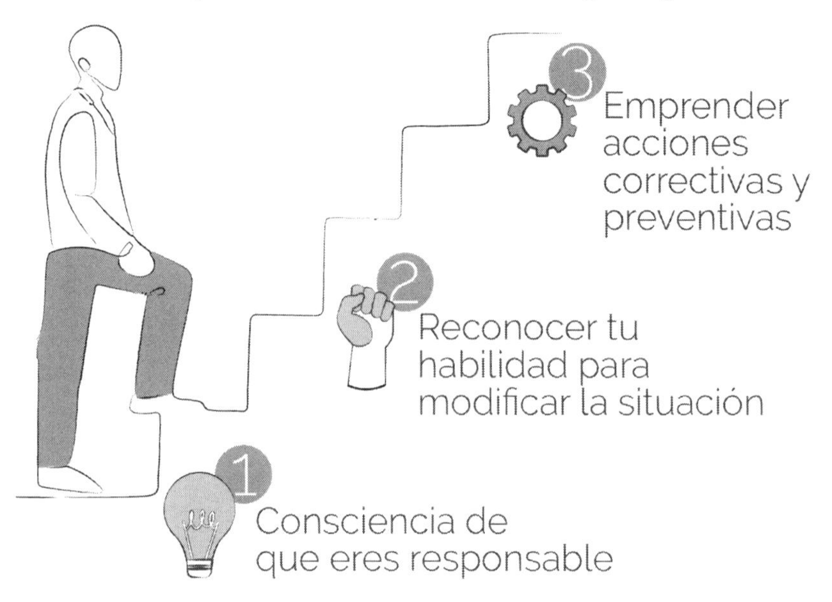

1. Tomar consciencia de que eres responsable de la situación crítica.
2. Reconocer que posees la habilidad para cambiar.
3. Emprender las acciones correctivas y preventivas.

Estar consciente de tu responsabilidad

Esta fase está relacionada con la toma de consciencia descrita en el capítulo anterior: estar consciente de tu responsabilidad es reconocer dónde y cuándo creaste o permitiste lo que pasó. Así se trate de acontecimientos cuyas causas escapen de tu control, como podrían ser la muerte de un ser querido o una catástrofe natural, no estás exento de asumir la responsabilidad de actuar asertivamente ante el hecho inesperado.

No hacerse responsable lleva a la victimización. Si no asumes las riendas de tu vida y piensas que el deber de las personas que te rodean es cuidar de ti, te encasillas en el rol de víctima. Estar consciente de tu responsabilidad es encargarte de tus pensamientos, emociones, acciones, y de tus relaciones con las demás personas. ¿Qué impide que tomes consciencia de tu responsabilidad ante un evento desafortunado? Te puedo mencionar:

- No vivir el proceso de duelo.
- No poner en práctica las enseñanzas producto de la experiencia.
- Mantener la rabia y el dolor como justificaciones de una actitud errada.
- Los prejuicios que hacen suponer que, hagamos lo que hagamos, las situaciones y las personas serán negativas.
- Mantener los beneficios aparentes del afecto y el apoyo incondicional de las personas.

«Mis héroes son los que cometieron errores, los enmendaron y se recuperaron», BONO

Reconocer tu habilidad para modificar la situación

Debes reconocer que tienes los recursos para lidiar con las pérdidas. Por ejemplo, si te desagrada tu trabajo, transforma esa situación ya sea cambiando tu actitud frente al jefe o admitiendo que necesitas seguir ahí para mantenerte económicamente. O busca otro empleo.

Tomar la acción preventiva o correctiva

La toma de consciencia es la mitad del camino: ahora necesitas tomar acciones preventivas (anticipar la crisis) o correctivas (luego de ocurrida la crisis). Pero muchas personas no toman acciones por miedo a que la crisis empeore o a experimentar mayor dolor, preocupación o estrés.

La evasión puede manifestarse de tres maneras. Con la evasión pasiva se reconocen las consecuencias de una situación, pero no se toman acciones correctivas. La segunda es huir; mientras la tercera evasión consiste en pelear, aunque si la pelea no es asertiva la crisis puede aumentar. La opción acertada es involucrarse en la situación, reconocer la responsabilidad para adoptar acciones, y luego aprender de lo sucedido para futuras crisis. Eso es fluir conscientemente.

Siempre hay opciones. No solo afuera, sino dentro de ti. Siempre hay un lugar donde puedes estar mejor. Pero tienes que moverte, salir de la zona de comodidad y superar los bloqueos y los paradigmas.

«La vida está en gran parte compuesta por sueños. Hay que unirlos a la acción», ANAÏS NIN

NO ES SENTIR CULPA

La cultura judeocristiana es el conjunto de influencias religiosas y culturales que agrupa los valores y tradiciones judías y cristianas que dan forma a muchas de las creencias del mundo occidental. De esa cultura se desprende la mayoría de los principios que gobiernan nuestras creencias. Entre esos principios la culpa ejerce un papel protagónico: desde pequeño nos enseñan a sentirnos culpables.

Los especialistas en el tema definen la culpa como un efecto doloroso que surge de la creencia o sensación de haber violado las normas éticas personales o sociales del «yo debería». Vivimos en una sociedad donde sentirse culpable es visto con buenos ojos porque quienes sienten culpa son «buenas personas». De allí que en la liturgia católica se repita tres veces el *mea culpa* y muchos asisten a la iglesia para que Dios los perdone.

Si te enfocas en que cometiste un error, comenzarás a sentirte culpable, pero debes recordar que, incluso si incurriste en una equivocación que desencadenó una crisis, de seguro muchos otros factores ajenos a tu voluntad actuaron para que se desatara esa situación adversa. Enfocarse en la culpabilidad te libera de obligaciones y te mantiene en estado negativo. En otras palabras, culpabilidad» es la «habilidad de sentir culpa».

Culpabilidad
Culpa – bilidad
Habilidad de sentir culpa

Desde la esquina opuesta brilla el término responsabilidad. Se deriva del latino *responsum* y significa responder. Ese es el sentido que debemos atribuirle a *ser responsable*: no es sentirse culpable de la situación, sino asumirse como el encargado de resolverla. En otras palabras, la responsabilidad es la habilidad de responder.

Responsabilidad
Respons – abilidad
Habilidad de dar respuesta

Disculparse tampoco es asumir la responsabilidad. Pedir disculpas es necesario, pero no suficiente. Con pedir excusas solo asumes parcialmente tu carga. No es lo mismo que expreses ante quien obraste mal «discúlpame por lo que te hice», a que corrijas tu comportamiento tomando una acción de enmienda contigo mismo y otros. Recuerda: la mejor disculpa es la acción correctiva. Para hacerte enteramente responsable, procede ante esa situación, ante ti mismo y ante los otros, tomando acciones correctivas eficaces.

LA TÉCNICA DE LOS TRES LENTES

Los tres lentes es una herramienta de autoconocimiento personal basada en el arte de la fotografía, y que puedes aplicarla contigo cuando te bloqueas. Su propósito es tomar consciencia para, como paso siguiente, empezar a asumir la responsabilidad. Consiste en identificar las diferentes perspectivas de una situación a partir de tres tipos de aproximación visual: el lente de largo alcance, el lente gran angular, y el lente invertido.

Lente de largo alcance

Es una visión a futuro. Quien aplica la técnica del lente de largo alcance formula una serie de preguntas que buscan ampliar de 2 a 5 años la perspectiva de la situación actual. Tú puedes aplicar esta técnica a ti mismo.

Recomiendo utilizar el lente de largo alcance durante la fase del desaliento con el fin de empezar a mirar hacia afuera y de cara al futuro, en vez de continuar ensimismado en lo negativo del presente. Para ello, pregúntate cómo te ves dentro de 5 años, y si transcurrido ese tiempo te visualizas atrapado en tu actual crisis o ya la superaste.

Seguramente te percibirás mucho más tranquilo y en paz, a cargo de ti mismo y consciente. El lente de largo alcance permite entender que tu crisis actual no es inmóvil ni eterna, y es fundamental para discernir que, si asumes la responsabilidad y tomas las acciones correctivas adecuadas, a la larga las cosas mejorarán.

Muchos de los problemas que enfrentabas hace años ya hoy no

están presentes dentro de ti. ¿Por qué? ¡Porque los superaste! Por tanto, cuando apliques el lente de largo alcance entenderás que en 5 años no te afectarán muchas de las contrariedades que hoy te abruman. Habrá otras situaciones desafiantes, por supuesto, pero a medida que las superas también crecerá tu capacidad de resiliencia.

El tiempo te madura, te estabiliza y te ubica. Si tomas las acciones apropiadas, los asuntos alterados se alinearán progresivamente. Pero para quien está acostumbrado a la inmediatez que produce el control, es difícil reconocer que las situaciones, problemas o pérdidas necesitan tiempo. Me ocurrió a mí tras el problema del banco, cuando me convertí en un perseguido y debí exiliarme en Estados Unidos.

En medio de aquella crisis, mi padrastro, Ciro Sosa, que fue parte importante en mi crianza, me dijo: «Jacques, tú estás acostumbrado a ganar siempre carreras de 100 metros. Pero este desafío que vives es una maratón de 42 kilómetros». Fue el mejor consejo que pude haber recibido, aunque en aquel momento no lo entendí porque yo aún estaba sumido en una actitud controladora y de resistencia.

Parte de mi vulnerabilidad se nutría de pensar que la vida era fácil. De los 26 a los 39 años no paré de «tener éxito», según mi sistema de creencias. Durante las carreras cortas, la victoria se obtiene casi de inmediato y con una celeridad que se vuelve adictiva y sirve como combustible para el próximo proyecto. La vida es así. Hay retos que son como carreras de 100 metros de las que sales ganador rápidamente, pero si te acostumbras al logro inmediato, ¿qué harás cuando te toque correr una maratón?

Correr una maratón te agota. A veces bajas la velocidad, pero es una competencia de constancia. Eso fue lo que yo interpreté luego de las palabras de mi padrastro, cuando aprendí que no todo en la vida es el resultado del control ni del momento en que deseas que las cosas sucedan. Yo necesitaba ir poco a poco, avanzar gradualmente. Hoy considero que el descalabro que viví fue positivo. Me ubicó en un estadio de consciencia superior. Entenderlo así me brinda paz y seguridad. Ese fue mi lente de largo alcance. Tú tendrás la historia con el tuyo.

Lente gran angular

En el campo de la fotografía, el lente gran angular permite recoger una vista panorámica y distinguir dentro de un amplio escenario al sujeto fotografiado. Cuando en el proceso de *coaching* se aplica el lente gran angular a una persona, se le anima a observar la situación desde un contexto general y no desde el entorno condicionado por sus circunstancias y sistema de creencias.

Hace algún tiempo dicté en España un curso denominado Regalo de Corazón, un Seminario Insight® dirigido a personas que enfrentan grandes desafíos en diferentes áreas de su vida. Al evento asistieron personas con VIH, cáncer, lupus, mujeres que habían sido abusadas, y miembros de Alcohólicos Anónimos. Escuchar sus historias me hizo entender que las situaciones por mí vividas no eran tan abismales. Cuando conocí estas experiencias, cómo enfrentaban con optimismo o neutralidad los obstáculos, su fortaleza y flexibilidad, el atrevimiento a tomar riesgos y la forma en que reconstruyen su vida afectiva y laboral pese a las limitaciones, mi circunstancia perdió dramatismo frente a un escenario más amplio y devastador.

Con la técnica del gran angular comprobarás que tu odisea personal no es la mayor de todas. Es alzar la vista para apreciar el bosque en vez de mantener la mirada fija sobre las ramas rotas de tu propio árbol. Conocer las experiencias ajenas ofrece una perspectiva más amplia y realista de tu propia experiencia. Con el gran angular determinarás, por ejemplo, que tu crisis no degeneró en una terrible enfermedad, cuando mucho alergias, ansiedad o insomnio.

Dentro de mi gran angular yo me encontraba sano como para salir adelante. Me di cuenta de que lo que me pasó, aunque fue duro, era poco comparado con situaciones tan hostiles como las que viven muchos pobladores de África, los refugiados, o los presos políticos de un gobierno dictatorial.

El gran angular te permite entender que tu circunstancia, aunque compleja y agotadora, en realidad no es tan descomunal ni insuperable. Pero eso lo sabes luego, durante la toma de consciencia, porque en el momento en que estás sumergido en el desaliento es más difícil vislumbrar esta verdad. El entender que el contexto es mayor que tu situación facilita el proceso de tomar responsabilidad sobre la misma.

Lente invertido, una *selfie* de tu existencia

Es como cuando tomas una foto de ti con la cámara frontal del teléfono celular: el lente invertido es un autorretrato que busca capturar tu propia imagen. Para realizar esta técnica del autorreconocimiento enfoca tanto las virtudes como los defectos, sin aplicarle a ese autorretrato «efectos de Photoshop» o «maquillarlo» porque sería mentirte a ti mismo. Tu imagen no mostraría lo que realmente eres.

Para capturar esa imagen, carga la «cámara fotográfica» con una serie de preguntas acordes a tu circunstancia:

- ¿Qué hice bien o mal para que se diera el hecho?
- ¿Cómo lograr mayor consciencia de la situación y asumir la responsabilidad?
- ¿Qué acciones debo adelantar para superar el trance?

Te comparto algunas preguntas que yo me he planteado durante mis situaciones desfavorables: ¿tengo el potencial para salir de esto? La respuesta fue afirmativa. ¿He enfrentado antes grandes dificultades en mi vida? Sí. ¿Las he superado? ¡Por supuesto!

Cuando te haces las preguntas correctas, de afuera hacia adentro, como si se tratase de una tercera persona, aplicas la técnica del lente invertido. Y aparecen respuestas que te conectan con la fuerza necesaria para tomar una acción correctiva sobre la situación que atraviesas.

«Adueñarnos de nuestra historia y amarnos a nosotros mismos es lo más valiente que podemos hacer», BRENÉ BROWN

EL PODER DE TENER «EL PODER»

A veces pensamos que los otros son los responsables de lo malo que nos pasa, y suponemos que para que la situación mejore primero deben cambiar los demás. Si ese es tu caso, no estás asumiendo tu responsabilidad. Expongo algunos pensamientos que reflejan este tipo de resistencia y evasión que te hacen perder el poder:

- Ante una relación problemática con un socio: «es él quien debe ceder».
- Mi situación con el gobierno: «tiene que caer el presidente».
- Ante la falta de independencia económica de algunos miembros de la familia: «son desvalidos y hay que tenderles la mano en todo momento».

Cito estos tres casos porque son situaciones en las que la mayoría cree que carece de poder y cuya resolución depende de otras personas. Te pido replantear esos mismos pensamientos y concentrarte en ti como conductor de la situación:

- En el primer ejemplo, puedo tomar la decisión de cambiar las reglas de la sociedad con mi socio o separarme de ella.
- En el segundo caso, rehacer la vida en otro país sin mantener el apego por lo que dejé atrás.
- Reconocer que algunos miembros de la familia son adultos capaces de asumir el control de sus vidas.

Al plantearte este tipo de enfoque recuperas el poder de tener el poder. La sensación de saber que estás a cargo permite reinventarte y lleva a sobreponerte de situaciones en las que pensabas que habías perdido el dominio. Parte de asumir la responsabilidad es aceptar que el poder de resolver una situación está dentro de ti, aun cuando otras personas estén involucradas.

LIDÉRATE A TI MISMO

En el capítulo sobre lo que es la resiliencia comenté que el ideograma chino que representa la crisis también simboliza, si lo viramos, la oportunidad. Visto así, la crisis es una oportunidad de encontrar soluciones. Ahora la gran pregunta: ¿cómo hallar oportunidades cuando debo bregar con los pensamientos y emociones que me sabotean durante una calamidad?, ¿cómo luchar contra mi saboteador interno?

El concepto de liderazgo remite al conjunto de capacidades de un ser humano para influir en un grupo de personas, llevando a que estas trabajen con entusiasmo en el logro de metas y objetivos.

Pero no puedes pretender influir y liderar a otros si primero no te lideras a ti mismo. Es fácil ser líder cuando las aguas están en calma y todo permanece en relativo y aparente control. No obstante, los verdaderos líderes se miden en las adversidades, en medio del caos y la confusión, cuando los vientos soplan en contra. Es justamente en esos momentos turbios cuando nuestra madera de líder debe ponerse de manifiesto para demostrar de qué estamos hechos.

¿Cómo un ser humano se lidera a sí mismo y equilibra pensamientos y emociones en momentos de crisis? En primerísimo lugar, mediante la toma de consciencia. Luego, asumiendo responsabilidades y conociendo a la vez sus fortalezas, debilidades, potencialidades y limitaciones. Tras identificar las características de tu saboteador y desmantelarlo, ahora identifica el líder que está dentro de ti y que quizá está dormido o dormida desde que eras un niño o una niña.

DESCUBRE AL SUPERHÉROE DENTRO DE TI

Superman lleva una capa que le permite volar. La Mujer Maravilla porta en ambas muñecas unos brazaletes con los que se escuda cuando enfrenta a sus enemigos. Batman se confeccionó un cinturón con los más ingeniosos y eficaces artilugios para luchar contra el crimen... Todos nosotros también llevamos herramientas de superhéroe que nos permiten convertir las crisis en oportunidades.

El argentino Fred Koffman, exvicepresidente de desarrollo ejecutivo de LinkedIn y miembro fundador de la sección de negocios del Integral Institute de Ken Wilber, llegó a decir: «hemos sido condicionados por los superhéroes de los *comics* a creer que necesitamos de grandes poderes para vivir heroicamente. Eso es falso. El heroísmo se trata de valores y virtudes, no de tener poder. Asumir la responsabilidad, el respeto, la humildad, la verdad, la justicia, la libertad y el amor, es la esencia del heroísmo». Me permito agregar que ¡la resiliencia nos convierte en verdaderos superhéroes!

Durante nuestra infancia nos sentíamos superhéroes y buscábamos manifestar un ideal. Ya de adultos uno nunca piensa que se es un superhéroe. Aunque para vivir en el mundo actual, ya sea trabajar junto con otras personas, lidiar con una suegra, resolver un ataque de celos de tu pareja o un problema afectivo, incluso enfrentar una traición, necesitamos ser superhéroes.

No estoy desvariando. Es una realidad confirmada por la ciencia. Rachel E. White, de Hamilton College, y Emily Prager y Catherine Schaefer, de la Universidad de Minnesota, reunieron en un salón a niños de entre 4 y 6 años de edad a quienes se les pidió realizar durante 10 minutos una tediosa tarea en computadora. Si se aburrían antes de cumplir ese lapso podrían salir a jugar. Este experimento fue enriquecido con un factor sorpresa: a un tercio de los niños se les pidió que se imaginaran ser un superhéroe. El estudio denominado «El efecto Batman» arrojó que aquellos pequeños que se identificaron con un superhéroe lograron mejores resultados.

«El hombre que se levanta es aún más fuerte que el que no ha caído», VIKTOR FRANKL

En las personas resilientes cada atributo positivo es un poder que lo ayuda a dominar los contratiempos. Necesitas ver hacia dentro de ti para identificar el héroe o el ave fénix que está allí.

¿Cómo saber si eres un superhéroe? No te instales en la postura de víctima ni en la del culpable. Los verdaderos héroes son responsables y se hacen cargo. La constancia es otro de los atributos presentes en todo héroe de carne y hueso. La clave es reconquistar primero ese adversario interno, para lo cual debes descubrir el espacio luminoso que hay en ti. «Un héroe es un individuo extraordinario que encuentra la fuerza de perseverar y resistir a pesar de los obstáculos», dijo el actor Christopher Reeve, el legendario Superman del cine y quien fuera confinado a una silla de ruedas cuando, en 1995, cayó de su caballo mientras practicaba equitación.

«Un héroe es quien entiende la responsabilidad que conlleva su libertad», BOB DYLAN

Te exhorto a identificar cuáles son las herramientas resilientes dentro de ti. Para emprender esta búsqueda, responde las siguientes dos preguntas:

- ¿Cuáles son tus cualidades en momentos de dificultad? Detente por un momento a meditar (¡ya meditar es una cualidad!) sobre la habilidad que más utilizas para sobreponerte: ¿concentración?, ¿osadía?, ¿determinación?, ¿confianza?, ¿sabiduría?, ¿fe?, ¿paciencia?
- ¿Qué significa para ti ser un superhéroe cuando atraviesas un proceso de dolor?

Tras tus respuestas, transforma las cualidades internas en prácticas a ejercer a diario. Plantéate también desarrollar las que no te caracterizan, así como describe en voz alta alguna crisis que superaste e identifica la cualidad de guerrero que empleaste en esa ocasión.

La actitud es clave. No puedes afirmar que eres un héroe o una heroína cuando tu cuerpo y tu mente reflejan lo contrario. Tu mente y tu cuerpo deben tomar consciencia. Recuerda cuándo superaste una crisis desafiante. Sin importar el villano interno que te ataque con sus poderes negativos –rabia, juicio, resentimiento o victimización–, si asumes física y mentalmente tu actitud de héroe, gradualmente asimilarás el cambio. Y te elevarás.

En mi caso personal, las cualidades esenciales de mi fortaleza son la disciplina, el enfoque en lo positivo y la fe. Cuando atravieso una dificultad, busco ejercer mi libertad, ya sea física o mental: ando en bicicleta o voy a la playa para allí recordar que soy una porción minúscula dentro del enorme mecanismo universal.

EL AVE FÉNIX NO ES UN MITO

El ave fénix representaba al Sol en la mitología de la antigua Grecia: muere por la noche y renace con toda su gloria por la mañana. De allí que simbolice fuerza, purificación, esperanza y renovación física y espiritual. En un ser resiliente.

No es solo una fábula nacida durante el inicio de los tiempos: el mito se repite todos los días en las personas con la habilidad para reinventarse. Si identificaste cuál es tu cualidad de superhéroe y recuperas esa fortaleza que te eleva por encima de la dificultad, te conviertes en un ave fénix capaz de recuperarse pese a los estragos del fuego.

Carl Gustav Jung aseguró en su libro *Símbolos de transformación* que el ser humano y el ave fénix tienen muchas similitudes. Esa emblemática criatura de fuego capaz de remontarse majestuosamente desde las cenizas de su propia destrucción, simboliza también el poder de la resiliencia, esa capacidad inigualable desde donde renovarnos en seres mucho más fuertes, valientes y luminosos.

Sobran los testimonios. La historia de Kanchhi Maya Tamang, mujer que luego de superar los peores reveses envió un mensaje desde la cima del mundo, es un extraordinario ejemplo de ave fénix. Según la Comisión de Derechos Humanos de Nepal, entre 2014 y 2015 se rescató a más de 9500 víctimas del tráfico de personas. Kanchhi, nacida en un pueblo del distrito de Sindhupalchowk, en el centro de Nepal, formó parte de esa tragedia al ser vendida en India y luego en Egipto, donde trabajó como empleada doméstica durante seis años.

Kanchhi fue la primera mujer en conquistar la cumbre del Everest, impulsada por la igualdad de género y el empoderamiento de las mujeres. Cuando llegó a la cima alzó un cartel en el que se leía: «Somos personas, no propiedades. No a la trata de personas». Días después declaró a la prensa: «He subido esta cumbre en honor a las mujeres que escalan sus propias montañas. Debemos dar poder a las niñas. Darles una cuerda, mostrarles una roca y luego pedirles que la suban».

Es una historia digna de película. Tú también tienes el poder de aplicarla a tu vida. Esa es una de las principales enseñanzas de la resiliencia. O como mejor reza el poema *Invictus*, del poeta inglés William Ernest Henley:

«Fuera de la noche que me cubre, negra como el abismo de polo a polo, agradezco a cualquier dios que pudiera existir por mi alma inconquistable. En las feroces garras de las circunstancias ni me he lamentado ni he llorado en voz alta. Bajo los golpes del azar mi cabeza sangra, pero no se inclina. Más allá de este lugar de ira y lágrimas, es inminente el horror de la sombra, y sin embargo la amenaza de los años me encuentra y me encontrará sin miedo. No importa cuán estrecha sea la puerta, cuán cargada de castigos la sentencia. Soy el amo de mi destino. Soy el capitán de mi alma».

Capítulo VI

Crea resiliencia: decálogo para renacer

Llega la hora de poner en práctica el siguiente decálogo o conjunto de diez reglas para materializar exitosamente tu proceso de resiliencia.

«La vida no se hace más fácil o más indulgente. Nosotros nos hacemos más fuertes y resilientes», STEVE MARABOLI

Muy cierta la frase de Helen Adams Keller (1880 - 1968): «el mundo está lleno de sufrimiento, pero también de superación», dijo la escritora, oradora y activista política estadounidense a la que una terrible enfermedad dejó ciega y sorda al año y medio de nacida. Pese a sus limitaciones (o gracias a ellas), Helen se convirtió en activista y filántropa, recaudó recursos para la Fundación Americana para Ciegos, promovió el sufragio femenino y los derechos de los trabajadores, además de cofundar la Unión Estadounidense por las Libertades Civiles.

Por sus logros, el presidente estadounidense Lyndon Johnson le otorgó la Medalla Presidencial de la Libertad y, a partir de 1980, cada 27 de julio, día de su nacimiento, es conmemorado como el Día de Helen Keller. Una portentosa historia de resiliencia frente a la cual muchas de nuestras crisis parecen insignificantes.

Nelson Mandela, encarcelado durante 27 años por enfrentar al sistema de segregación racial *apartheid* que por varios años dominó en Sudáfrica, fue el primer mandatario de raza negra en ser elegido por sufragio universal en su país. Quisiera citar también el caso de la Madre Teresa de Calcuta, la monja católica de origen albanés que fundó la congregación Misioneras de la Caridad, y quien debió reinventarse para convertir esa orden de claustro en una congregación de servicio.

Muchas grandes personalidades debieron formar y construir las cualidades con las que sobresalieron. A pesar de que las experiencias de la infancia y la adolescencia modelan la capacidad de resiliencia del adulto, todos manejamos las habilidades para superar adversidades. ¿Cómo llegar a ellas? El primer paso es reconocer que esas habilidades ya se hicieron presentes en tus recuperaciones del pasado. Ahora toca fortalecerlas.

DE LA CUALIDAD AL COMPORTAMIENTO

Es necesario transformar las cualidades en comportamientos que sustituyan las conductas limitantes. Ese es el propósito de este capítulo. Pero primero conozcamos qué es una cualidad y qué son los comportamientos.

La cualidad es un componente de la esencia de una persona u objeto y que contribuye a que alguien o algo sea lo que es. Así, la dureza es una cualidad del diamante, y la capacidad nutricional una de las cualidades emblemáticas de las frutas. A su vez, el comportamiento es la manifestación externa de la cualidad y se refleja en las acciones que un individuo muestra en su día a día.

Si crees que careces de cierta cualidad, ensaya comportamientos que ayuden a desarrollarla. Por ejemplo, si no eres muy optimista, cultiva esa cualidad sirviendo a otros durante una calamidad. O si no eres muy flexible, fíjate desafíos diarios que te conduzcan a aceptar que los cambios son parte de la vida. La Asociación Americana de Psicología (APA por sus siglas en inglés) ofrece los siguientes consejos para cambiar positivamente el comportamiento:

- Haz un plan duradero.
- Empieza moderadamente y cambia un comportamiento a la vez.
- Involucra a un compañero o compañera.
- Pide apoyo.

«El que mira afuera sueña, el que mira adentro despierta», CARL GUSTAV JUNG

Lo importante es buscar el equilibrio y reforzar aquellos aspectos que necesitas robustecer, aunque sin pretender abarcarlos todos como si fuera un álbum en el que debes coleccionar todas las barajitas. Aclarado ese punto, te presento en las siguientes páginas el decálogo o conjunto de diez reglas a cultivar. Ellas son las piedras angulares sobre las que se levanta el alma resiliente.

1
Comprométete contigo

«Si estás dispuesto a trabajar duro y cumplir con tus responsabilidades, podrás salir adelante, no importa de dónde vengas, cómo luzcas, qué hayas vivido o a quién ames» BARACK OBAMA

PREGÚNTATE SI...

- ¿Te comprometes cuando asumes un cambio?
- ¿Planificas tu día?
- ¿Al final del día evalúas los resultados de tu jornada?
- ¿Hiciste hoy algo fuera de la rutina?
- ¿Cómo sabes que estás un paso más adelante de superar la situación difícil que atraviesas?

Pongo el compromiso como primera clave porque si no te comprometes con tu proceso de resiliencia será difícil activar y dinamizar las otras claves. Al comprometerte motorizas al resto.

La palabra compromiso deriva del término latino *compromissum* y significa una obligación contraída: la promesa «Esta noche paso por ti» es un compromiso. Por eso la frase «Estoy en medio de un compromiso» la podríamos sustituir fácilmente por «Estoy en medio de una obligación». Una persona demuestra su compromiso cuando cumple con aquello que se ha propuesto o que le ha sido encomendado, que planifica y reacciona de forma acertada para sacar adelante un proyecto, una familia, el trabajo o sus estudios. En el caso de la resiliencia, el compromiso es un deber que estableces contigo mismo para superar una crisis y convertirla en oportunidad.

Para que exista un compromiso son necesarios dos elementos: conocimiento y participación. No podemos comprometernos a desempeñar una tarea si desconocemos los aspectos y deberes que involucra ese compromiso. El segundo componente del compromiso es la participación: una persona está realmente comprometida cuando actúa para alcanzar los objetivos. Por eso el compromiso se manifiesta mediante acciones.

«El compromiso es un acto, no una palabra»,

JEAN PAUL SARTRE

CONTRAE UN COMPROMISO INTERNO

Un amigo llegó a pesar 130 kilos. Su relación de pareja atravesaba graves problemas y ella lo amenazó con abandonarlo si no adelgazaba. Mi amigo se comprometió y rebajó 40 kilos luego de meses de dieta y ejercicios. Pero igual su mujer lo abandonó. No pasó mucho tiempo para que él dejara el gimnasio y volviera a comer como un náufrago recién rescatado de una isla, con lo que recuperó casi de inmediato el peso que había perdido con tanto esfuerzo. Entrar en el desaliento y en la sensación de fracaso lo llevó a tomar el camino opuesto al logro alcanzado.

Como su compromiso era generado por un factor externo, cuando ese factor desapareció recayó en la situación ya superada. Por eso el compromiso ha de ser un proceso no motivado por agentes exteriores: debe haber una disposición interna de participar. De no ser así, no se producirá la recuperación verdadera.

La meta de mi amigo no era realmente adelgazar, sino superar el bloqueo que lo mantenía obeso. Tras su toma de consciencia, volvió a alimentarse saludablemente y a practicar ejercicio. Hoy, tras comprometerse consigo, está de nuevo bajando de peso, pero esta vez gracias a una elección interna. Superó los juicios que lo hacían pensar que no era capaz de superarse a partir de su propio impulso.

SAL DE LA ZONA DE COMODIDAD

Comprometerte y participar activamente para liberarte requiere salir de tu zona de comodidad. Si deseas cambiar tu vida (tu trabajo, tu rutina, adquirir hábitos saludables, terminar una relación...) coge el toro por los cuernos y ¡sal de esa zona de comodidad que te mantiene atrapado!

La zona de comodidad es un lugar mental en el que estamos aparentemente a gusto con lo que experimentamos o vivimos, es el conjunto de límites que la persona termina por confundir con el marco de su existencia.

Comprende el acomodo de quienes han renunciado a tomar iniciativas para expandir y gobernar sus vidas. Estos límites son creados por nosotros mismos a través de nuestras experiencias, creencias, enseñanzas y estándares internos y externos.

«Libertad no es la ausencia de compromiso, sino la capacidad de escoger y comprometerte con lo que es mejor para ti», PAULO COELHO

Cuando se está en la zona de comodidad no se piensa en cambiar nada. Se está acostumbrado a lo que sucede, a pesar de que no sea necesariamente bueno. Por ejemplo, mucha gente se acostumbra al dolor que produce una situación difícil, y piensa que su estilo de vida está asociado a ese dolor. No buscan adaptarse a la nueva realidad porque quieren, a veces inconscientemente, mantenerse en la realidad anterior. La gente actúa así porque duda tener la habilidad para encontrar una vida mejor.

Ahora echemos un vistazo a las áreas que conforman y rodean a la zona de comodidad:

Zona de comodidad

En su centro se concentran las costumbres, las creencias, los paradigmas, los comportamientos conocidos, las respuestas automáticas y las metas alcanzadas. En fin, todo aquello que pensamos que está bajo nuestro dominio.

La zona de comodidad es aparentemente confortable, pero finalmente limita al crear una satisfacción paralizante: hay personas que se encuentran tan cómodas en su vida que no toman riesgos. No se desafían porque están apegados a su *statu quo* o solo desean disfrutar de los beneficios aparentes que brinda la falsa seguridad.

No es estática. Muy por el contrario, la zona de comodidad es dinámica y orgánica, crece o se reduce a partir de la decisión de salir o quedarse dentro de ella: si sales, se expande; si te quedas adentro, poco a poco se irá contrayendo. También cambia con el paso del tiempo. Por ejemplo, hace años mi mamá era hábil manejando bicicleta, esa destreza formaba parte de su zona de comodidad. Pero hoy teme montar una. En este momento la bicicleta está fuera de su zona de comodidad.

Los tres atributos de la resiliencia de los que te hablé páginas atrás, flexibilidad, adaptabilidad y fortaleza, no los encontrarás dentro de la zona de comodidad. ¿Por qué? Salir de la zona de comodidad significa exponerte a circunstancias desconocidas.

Alcanzar un objetivo fuera del área segura requiere flexibilidad para fluir con los eventos del presente, fortaleza para no permitir que el miedo te paralice, y adaptabilidad para entender que pueden ocurrir eventos inesperados.

Zona de aprendizaje

Tras los límites de la zona de comodidad se encuentra lo desconocido. Un área rica para la exploración y el aprendizaje. Esta segunda franja está conformada por los cambios de hábitos y la práctica de nuevos comportamientos y paradigmas. Cuando ingresas a esta zona de exploración te empiezas a sentir incómodo, pero igual sientes que mantienes el control.

En esta zona gestionamos los miedos y riesgos menores. Esto es lo que en *coaching* se denomina *aprendizaje controlado*: si en la zona de aprendizaje no manejas bien tus emociones, perderás la habilidad de tomar riesgos y te conectarás con el temor al futuro, a perder lo que tienes, a hacer el ridículo o al fracaso. Y automáticamente regresarás a la zona de comodidad.

Zona mágica / Zona de pánico

Avanzar fuera de los límites de la zona de aprendizaje te llevará a la región inexplorada ¡donde ocurre el cambio genuino! Acá la resiliencia espera por ti. Aunque este territorio desconocido puede asumirse de dos maneras: como una zona mágica o como una zona de pánico.

En la zona mágica puedes convertir el temor en tensión creativa, pasión, entusiasmo, resolución, desarrollo y gestión del cambio. Pero esta región se convierte en zona de pánico cuando confundes la tensión creativa con la tensión emocional. Como consecuencia, te conectas con la confusión, la ansiedad y el apego. Te sientes impotente y empiezas a negar los eventos que ocurren a tu alrededor. Entonces, te arrepientes de haberte arriesgado y añoras regresar al centro de la zona de confort.

Las metas infunden miedo. Pero asume el miedo como un aliado que te motive a actuar. Cuando utilizas tus experiencias e incorporas la práctica de la inteligencia emocional, transformas el miedo en un socio y respondes con asertividad, empatía, curiosidad y creatividad ante las novedades.

Ahora, ¿cómo transformar la tensión emocional en tensión creativa? A través de la pasión, el entusiasmo, la resolución, el desarrollo y la gestión del cambio. Como resultado, tu zona de comodidad se expandirá hacia regiones desconocidas y, gracias a esa expansión, adquirirás madurez y experiencia.

Un ejercicio que me encanta es pensar diariamente en algo disruptivo, diferente y que me haga pensar fuera de la caja. Y me pongo en acción. ¡Atrévete a navegar a mar abierto! Salir de la zona de comodidad permite eliminar barreras, conocer nuevas personas, vivir experiencias inéditas para ampliar tus puntos de referencia, aumentar tus habilidades y confianza, tomar consciencia de los retos y desafiarte, así como adquirir mayor fuerza creativa y la convicción de que eres un ser expansivo. Y lo más importante: te permite atravesar los apegos a la forma y al pasado que no te dejan ser resiliente.

SÉ CREATIVO EN LA DIFICULTAD

El pensamiento creativo es una de las herramientas más importantes para solucionar conflictos y salir de la zona de comodidad. Nace de nuestra facultad de crear, y supone establecer o generar por primera vez una cosa, crearla o producirla, o adaptar lo que ya conocemos a situaciones nuevas para satisfacer una necesidad.

El pensamiento creativo busca soluciones originales e ideas novedosas ante situaciones desconocidas. Abre muchas puertas y nos tiende la mano para buscar otras opciones más allá de las obvias. Pero la creatividad demanda esfuerzo, y surge del profundo conocimiento del problema a solucionar.

Una de las leyes de Newton plantea que la acción produce reacción. De modo que si tomas una acción distinta producirás un resultado diferente. A veces es útil romper algunas reglas, sobre todo si esas reglas no funcionan. Así que trázate acciones diferentes, tanto dentro como fuera de ti, para obtener resultados distintos y acercarte a tu visión a largo plazo, a cómo te quieres ver o deseas estar. ¿Te disgusta tu trabajo? No te levantes mañana para, aplastado por la insatisfacción, arrastrar tus pasos de nuevo hacia la oficina, sino que toma un tiempo para redactar tu currículo o buscar otro empleo. Echa a volar tu imaginación y plantéate la fascinante pregunta de «¿qué pasaría si...?».

IMPONTE DESAFÍOS

Tú puedes cultivar tu resiliencia ubicándote en situaciones desafiantes. Es una verdad demostrada por la ciencia. Para regular el cortisol, que es la hormona liberada por la glándula suprarrenal como respuesta al estrés, tu organismo se hace gradualmente más resistente a él. Según esto, con estar regularmente expuesto al estrés se «aprende» a manejarlo mejor. Si te sometes a voluntad a situaciones retadoras, reforzarás conscientemente tu resiliencia.

Yo, por ejemplo, sufro de vértigo, pero en cierta oportunidad acepté el desafío de lanzarme en paracaídas para superar ese temor. En ese momento el cortisol hizo de las suyas en mi organismo, pero yo amplíe mi espectro de resistencia. Mi cuerpo obtuvo el «entendimiento» de manejar el estrés de manera diferente y sólida.

Los periodos de estrés manejable, es decir, aquellos con los que logras convivir con él, son una oportunidad para cultivar la resiliencia. Permitirse cierta cuota de estrés genera una respuesta cerebral y hormonal más adecuada para manejar tus crisis, y si lo incorporas como parte inevitable de la existencia, aprenderás a administrarlo mejor y a ampliar los rangos de aceptar, asumir y fluir.

El estrés nunca desaparece, solo cambia su intensidad y se hace manejable o no. Las situaciones desafiantes amplían los rangos internos, ensanchando tu umbral para que cuando enfrentes una situación estresante, sepas gestionarla saludablemente. De allí que me reconozca con una frase que leí alguna vez: «Elige el camino que te lleva a ser resiliente ante el estrés, en vez de sentirte estresado».

Una investigación realizada en la Universidad de Harvard encontró que las personas que consideraban el estrés como un combustible para su desempeño, obtenían mayores resultados que quienes trataban de ignorarlo. Por lo que te planteo un reto que puede sonar descabellado: en vez de rechazar el estrés, ¡invítalo a tu vida de una forma consciente!

¿Eres tímido o tímida? ¡Imponte la situación desafiante de buscar conversación con personas desconocidas!, ya sea en el trabajo, en la universidad o en el gimnasio. ¿Temes hablar en público? Rétate y proponte tomar la palabra en el siguiente evento público al que asistas. Así, gradualmente reprogramarás tu guion y, de paso, dominarás tus miedos. También, aprender cada día y autoexaminarse es una manera de retarse. Plantéate las siguientes preguntas:

- ¿Cómo me siento hoy?
- ¿Hoy qué puedo hacer diferente?
- ¿Qué estoy dispuesto a hacer para mejorar mi vida?

MANTENTE OCUPADO, OCUPADO, OCUPADO

El compromiso se ancla mediante acciones a tomar día tras día. Cada una de estas acciones te permitirá sanar mucho más rápido porque actuando tu energía se modifica y produce nuevas emociones asociadas. Incluso provoca cambios neurohormonales que acortan el tiempo para asumir tu nueva realidad.

Cuando te pones en movimiento, la energía o la tensión emocional que derrochas en pensar «estoy frustrado», «estoy en el abismo», «no tengo esperanzas», puedes usarla para reorientarte hacia la recuperación.

«La vida nunca es estancamiento.
Es movimiento constante y sin ritmo,
pues nosotros cambiamos constantemente»,
BRUCE LEE

Cada acción que tomes te acercará a tu meta. No importa que sea una tarea grande o pequeña, pero te mantiene en movimiento. Los especialistas aconsejan combatir la depresión con acciones físicas, como la realización de ejercicios, para generar en el organismo una bioquímica liberadora que te enviará el mensaje de que eres capaz. Y cuando te sientes capaz, encontrarás una solución a la adversidad. Recuerda el popular dicho: «cuando haces cosas, suceden cosas».

Por otro lado, puedes mantenerte ocupado disfrutando de la naturaleza, viendo una película haciendo contemplación, sirviendo a una causa noble o, simplemente, no hacer nada por un tiempo y descansar *la cabeza* para preparar tu próximo paso.

MUÉVETE HACIA TUS METAS

Comprometerse es moverse hacia la meta. En el caso de la resiliencia, superar satisfactoriamente los momentos bajos. Pero antes de perseguir un propósito, debes tener claro lo que deseas alcanzar. Para ello, recomiendo aplicar el método denominado SMART, siglas en inglés proveniente de:

- *Specific:* específico, es decir, que sea una meta concreta y definida.
- *Measurable*: medible. Que puedas cuantificar su resultado.
- *Attainable*: alcanzable, debe ser un reto realista y creíble.

- *Relevant*: relevante, cuán importante es para tu vida.
- *Time Bound*: temporal o con límite de tiempo desde que se inicia la acción hasta que se alcanza el objetivo.

Cuando te fijas metas no puedes pretender alcanzarlas de la noche a la mañana. Con frecuencia estableces objetivos sin prestarle atención a qué tanto te costará lograrlas, por lo que identifica los obstáculos que a futuro podrían bloquear tus logros. De este modo los vencerás de uno en uno.

PLANIFICA

Estudios revelan que quien planifica la jornada durante las primeras horas del día consigue 30 % más resultados. Ese breve lapso enfocado en organizar qué hacer para lograr cómo quieres estar y mantener clara tu intención, proporcionará la energía y el entusiasmo para participar más activamente, comprometerte y lograr lo que deseas.

Mantener una agenda de actividades y programar tus actuaciones diarias y semanales activará tus metas resilientes. Planificar las tareas, ya sean modestas o ambiciosas, ayuda a visualizar el camino a seguir, aumenta tu capacidad de reacción ante imprevistos, te hará priorizar tus acciones y sentirte satisfecho por cumplir los compromisos contraídos contigo mismo. También estarás más motivado y ganarás en calidad de vida gracias a la toma de decisiones adecuadas.

En lo particular, durante la mañana planifico y establezco en lo que estaré enfocado durante el día, y en la noche reviso lo que hice. Ambas actividades no suman más de veinte minutos. Esta rutina ha aportado gran valor a mi vida. Me empodera, me pone en dominio de mis pensamientos, me brinda paz y me permite estar presente.

No se trata solo de actividades laborales, puede ser una visita a un familiar o amigo, renovar tu *look* con un nuevo corte de cabello, emprender labores sociales, divertirte o descansar en casa.

TEN UNA ACTITUD OPTIMISTA

Para alcanzar un alto nivel de compromiso necesitas mantener una actitud optimista o neutra frente a la adversidad. ¿Qué significa esto? No es fingir que estás feliz con la situación que atraviesas, sino conservar una actitud serena sobre esa situación, con lo que te enfocarás en el presente y te involucrarás en una acción que te acerque a tu meta resiliente.

La principal diferencia que existe entre una actitud optimista y el pesimismo radica en el enfoque: empeñarnos en descubrir inconvenientes y dificultades provoca apatía y desánimo. El optimismo, por el contrario, supone esforzarse para encontrar soluciones, ventajas y posibilidades. De allí que las personas resilientes disfrutan de los pequeños detalles y no pierden la capacidad de asombrarse ante la vida. Así se enfocan en los aspectos positivos que ofrece cualquier situación, sea complicada o no.

REALIZA ACTIVIDADES FÍSICAS

Practicar ejercicio de manera regular incrementa los niveles de sustancias químicas cerebrales como la serotonina, principal neurotransmisor responsable del estado de ánimo. Según un estudio de la Universidad de Texas, Estados Unidos, publicado en el *Journal of Clinical Psychiatry*, la práctica de actividad física, como correr o ir en bicicleta durante media hora por lo menos tres días a la semana, puede ser tan eficaz como el consumo de psicofármacos.

Salir a caminar es una excelente estrategia. Es un ejercicio aeróbico que aporta beneficios similares a correr o nadar, pero con la ventaja de que la mayoría de las personas lo pueden practicar y es fácil incorporarlo a la rutina diaria. Salir a caminar debe ser una actividad regular para que tenga los efectos esperados. Hazlo como mínimo tres días a la semana durante media hora, o mejor si puedes diariamente.

2
Acepta, asume y fluye

«Entender es el primer paso para aceptar,
y solo con la aceptación puede haber recuperación»,
J. K. ROWLING

PREGÚNTATE SI...

- ¿Sientes que determinadas situaciones te controlan o eres tú quien las domina?
- Si pudieras tomar distancia del problema que ahora sufres, ¿podrías determinar aspectos que en este momento no ves?
- ¿Tienes problemas de actitud, como rabia o culpa, al momento de enfrentar las crisis?
- ¿Crees que el cambio es parte de la vida?
- ¿Estás abierto a escuchar lo que otras personas tengan que decir sobre tu situación?

Aceptar, asumir y fluir son tres acciones estrechamente relacionadas y cada una consecuencia de la anterior: cuando aceptas, asumes. Si la consciencia de aceptación está limpia dentro de ti, empiezas a fluir con lo que está presente. Pasemos a examinar el significado de cada uno de estos términos:

Aceptar

Con origen en el término latino *acceptatio,* el concepto de aceptación alude a la acción y el efecto de aceptar, verbo relacionado con aprobar, dar por bueno o recibir algo de forma voluntaria y sin oposición. En términos psicológicos, la idea de aceptación se aplica a una persona que aprende a vivir con sus errores, y reconoce tanto su pasado como su presente. Así encara el futuro con una perspectiva renovada y aprovecha las oportunidades.

Alrededor de la aceptación del pasado y el presente gira gran parte de la problemática interna de las personas: muchas están atrapadas en sus creencias limitantes provenientes de la infancia y la adolescencia. Sobre esto, Elizabeth Edwards, autora norteamericana de numerosos *bestsellers* y activista de la salud, proclama: «La resiliencia es aceptar tu nueva realidad, incluso si es menos buena de la que tenías antes».

Asumir

Asumir es hacerse cargo. Es una consecuencia posible de lograr solo luego de aceptar. El verbo se aplica a varias circunstancias: se puede asumir el presente, la adversidad que nos acosa, así como riesgos y posibilidades. Debemos asumir y hacernos responsables si deseamos enriquecer nuestra vida para sacarle el mayor partido y encarar vicisitudes. A este aspecto ya le dedicamos el anterior capítulo sobre la responsabilidad.

Fluir

Para ilustrar este punto pongo como ejemplo el tráfico vehicular. Si los conductores no respetaran las señales de tránsito, renunciaran a seguir por su carril y cada cual manejara en la dirección que quisiera, el tráfico se convertiría en un caos que atraparía a todos. De allí que la alternativa para no quedarse atascado es fluir con el tráfico circundante.

Fluir es circular por lo que acontece y reaccionar ante la situación agobiante. Pero no de manera automática o inconsciente: utiliza tus destrezas y habilidades, sin boicotearte o permitir que el entorno afecte tu esencia. Ejemplo de esta dinámica fueron las horas y los días que siguieron a la muerte de mi padre. Fue una situación inesperada. Nadie lleva debajo del brazo un manual con las instrucciones para actuar en medio de tan súbitos acontecimientos. Sin embargo, aunque yo no comprendiese del todo lo que ocurría a mi alrededor, fluía al ritmo de lo que sucedía, enfrentando obstáculo por obstáculo, uno a uno a medida de que surgían sobre la marcha. Se fluye cuando se vive sin esperar nada, estando en el aquí y en el ahora, en sintonía con el entorno y manejando con flexibilidad tus roles, actividades y relaciones. Los tres pasos descritos — aceptar, asumir y fluir— envuelven las siguientes acciones:

ACEPTA QUE EL CAMBIO ES PARTE DE LA VIDA

«El cambio es la única cosa inmutable», dijo el filósofo alemán Arthur Schopenhauer. La vida no es un escenario estático. Muy por el contrario, se transforma cada día. Aceptar que la vida es cambio permite vivir más sosegadamente el aquí y el ahora, disfrutar de lo que tenemos entre manos, sin preocuparnos de si lo perderemos o no. Debemos aprender a cerrar etapas y abrir nuevos ciclos porque eso es vivir: cambiar, renovarse y no permanecer siempre en el mismo lugar.

«Eres imperfecto, de manera permanente e inevitablemente imperfecto. Y eres hermoso»,

AMY BLOOM

¿Cómo sabes que aceptas? Cuando estás consciente del presente y combinas la flexibilidad con la perseverancia. La clave radica en cambiar tú también y adaptarte. Para enfrentar imprevistos, modifica hábitos, valores, principios y estados emocionales que ya no se ajusten a la realidad actual. Como los cambios son necesarios e inevitables, no les temas y hazte su aliado.

RECONOCE NO CONTROLAR TODO

Debemos aceptar que no gobernamos cada detalle de la vida y que el control total no existe. No obstante, una de las principales fuentes de tensión y estrés es el deseo de querer dirigirlo todo. Parte del control es querer mantener el apego, la ilusión del pasado y resistirse a aceptar la nueva realidad. Estos son comportamientos habituales durante las fases de la indefensión, del desaliento y de la negación del proceso de duelo. Como la baja tolerancia a la incertidumbre trae vacío y frustración, muestra la suficiente madurez personal para reconocer que la solución a muchos problemas escapa de tus manos, y aprende a aceptar, asumir y fluir para ampliar tu umbral frente a lo desconocido y vivir con menos tensión emocional.

SÉ FLEXIBLE ANTE LOS CAMBIOS

Tener un propósito en la vida te hará ser más resiliente y te dará fuerza interior. Sin embargo, pueden surgir acontecimientos, como la pérdida de un empleo, el fallecimiento de un familiar o la separación de tu pareja, que te obliguen a replantearte el propósito original. En ese caso, vuelve a analizar la situación y busca alternativas para resolver los obstáculos. Es decir, sé flexible.

La flexibilidad te permitirá adaptarte a los cambios. A veces es necesario corregir el plan inicial y, conforme avanzas, realizar ajustes. Ser flexible y aceptar no significa que te guste la nueva situación: es admitir que se ha dado cierta cadena de eventos para que sucediera, y actuar en consecuencia. Y cuando se es flexible y adaptable, puedes enfrentar los acontecimientos imprevistos y girar el rumbo sin sentir culpa o remordimientos por modificar o abandonar el objetivo originalmente propuesto.

DESARROLLA TU AUTOCONTROL Y FUERZA DE VOLUNTAD

Walter Mischel, psicólogo austriaco y estudioso de la personalidad, realizó en la década de 1960 una prueba en Stanford University, Estados Unidos. Mischel puso a niños de entre 3 y 5 años en una habitación con dos golosinas y les indicó que podían comer una de inmediato, o esperar un rato y conseguir las dos golosinas. Los niños que mostraron mayor nivel de autocontrol y retrasaron la gratificación, presentaron de adultos un mejor desempeño en la vida, ganaron más dinero y fueron más saludables y felices.

Para aceptar, asumir y fluir necesitas control emocional y fuerza de voluntad. Esas son las cualidades necesarias para convertir tus deseos y sueños en resultados. El autocontrol es el dominio de los pensamientos, emociones y acciones para experimentar bienestar y satisfacción. Carecer de él te llevará a actuar impulsivamente, sin pensar en las consecuencias, a permanecer a la defensiva, te hará sentir enfado, impaciencia y depresión, así como te dificultará mantener la atención.

«Una de las cosas grandiosas del autocontrol es que, a diferencia de otras características como la inteligencia, es fácil de mejorar», afirma Nathan DeWall, reconocido profesor en psicología de la Universidad de Kentucky.

La observación consciente es fundamental para desarrollar el autocontrol: identificar tus emociones y comprenderlas es el primer paso para controlarlas y regular tu comportamiento. Así dominarás tus decisiones, conductas e impulsos, aun bajo situaciones de estrés.

«No podemos obtener la paz exterior hasta que no hacemos la paz con nosotros mismos», DALÁI LAMA TENZIN GYATSO

MANEJA TUS EMOCIONES

La amígdala es la región del cerebro que dispara las emociones. Acciona respuestas automáticas ya sea en forma de agresión, paralización o huida frente a una amenaza. En algunas personas esas respuestas no están debidamente reguladas o se disparan en situaciones en las que no existe una amenaza real, como es el caso de la depresión prolongada. Existen 4 tipos de emociones básicas de las que se desprenden los sentimientos más complejos:

- Enfado.
- Miedo.
- Alegría.
- Tristeza.

Los investigadores Philippe Verduyn y Saskia Lavrijsen, en su estudio *Which Emotions Last Longest And Why (Qué emociones duran más tiempo y por qué)* publicado en la revista *The British Psychological Society*, apuntan que la tristeza dura hasta 4 veces más que la alegría. Por eso es importante gestionar la intensidad de las emociones para no sufrir tanto.

Desarrollar la inteligencia emocional es la mejor forma de afrontar encrucijadas dolorosas y permite identificar las emociones de rabia o enfado que llevan a comportarnos de manera poco saludable: entrar en pánico o dejarse llevar por los nervios, la ira o los pensamientos negativos, dificultan actuar con claridad. Tomar decisiones difíciles exige serenidad. Y para mantenernos en calma debemos primero respirar y seguidamente gestionar nuestras emociones.

El autor y educador norteamericano Al Siebert, en su libro *The Survivor Personality (La personalidad sobreviviente)*, afirma que los mejores sobrevivientes pasan gran parte de su tiempo resolviendo emergencias y no pensando en lo que perdieron o en los sentimientos negativos que tales acontecimientos les producen.

Los sobrevivientes se enfocan en gestionar las situaciones difíciles, en manejar conocimientos para lograr su fin, en conservar la calma y evaluar la situación para trazar un plan de acción. Siebert pone como ejemplo a los buzos que en pocos segundos deben tomar medidas asertivas para resolver un conflicto. Saber manejar el pánico cuando pasa un problema con el tanque de oxígeno les salva la vida.

¿Qué hacer para mantener la calma en medio de una situación extrema? Abundan los estudios que afirman que la meditación es de gran ayuda. El verbo meditar proviene del latín *meditare*, que significa considerar y tomar medidas adecuadas. Es una práctica para potenciar la atención y la consciencia en el momento presente, proporciona mayor vigilia y creatividad, estimula y refuerza las zonas del cerebro asignadas a la felicidad y la alegría, aumenta el cociente intelectual y fortalece el sistema inmunológico, entre otras muchas ventajas.

El doctor Richard Davidson, experto en neurociencia afectiva, descubrió que las estructuras del cerebro cambian en apenas dos horas luego de meditar. Sus estudios con pacientes deprimidos demostraron que la inflamación cerebral baja rápidamente luego de un breve periodo de concentración. Ya en el capítulo sobre toma de consciencia te hablé de la importancia de esta práctica para encontrar a nuestro observador neutro, ahora te adelanto algunas acciones eficaces para gerenciar las emociones:

- Recuerda tus experiencias exitosas y puntos fuertes. Esta es una de las mejores estrategias para gestionar los sentimientos.
- Distrae tu atención con un asunto neutro, ya sea una película o una charla relajada con un amigo o pariente, para desvincularte momentáneamente de las emociones negativas.
- Hacer respiraciones.
- Realizar ejercicio físico al aire libre.
- Distraerte con actividades nuevas o diferentes.

COOPERA CON EL ENTORNO

Tras la aceptación, viene el fluir con el momento y colaborar con la circunstancia. Pero con cooperar no me refiero a ser cómplice de la situación: es obrar con otros para conseguir un fin común.

Al aceptar, asumir y fluir amplías tu capacidad de escucha tanto de ti mismo como de lo que los demás tengan que decir. Tu intuición da una orientación que debes complementar con la información y sugerencias planteadas por quienes que te rodean. Por ejemplo, si estás comprometido en bajar de peso, seguirás una dieta y realizarás ejercicios, pero también debes informar al entrenador personal sobre tu estado de salud físico y los avances del entrenamiento.

SÉ COMPASIVO CONTIGO MISMO

¿Cómo incorporar la compasión en el proceso de aceptación? La compasión está íntimamente ligada a la práctica budista de la liberación. A medida que la libertad interior crece, aumenta la capacidad propia para la compasión; a medida que aumenta la compasión propia crece la importancia de la libertad. La liberación sostiene la compasión y la compasión sostiene la liberación. Ambas se benefician cuando van de la mano.

Para encontrar liberación es necesario practicar la aceptación. Esta práctica incluye un proceso de autocompasión con nuestra realidad o problemática. Y cuando aceptamos a nuestro entorno, incluyendo las personas o situaciones desafiantes, ejercemos de forma intrínseca la compasión con lo externo.

La compasión es una forma de empatía y afecto que busca aliviar el sufrimiento de alguien. Es uno de los más bellos sentimientos que una persona puede experimentar, proporcionando un valioso significado a la vida. Su presencia se celebra en el budismo como una riqueza interior y como una fuente de felicidad. Pero el budismo no deja la manifestación de la compasión al azar: todo comienza por incorporarla en nuestros procesos diarios de aceptación.

Es posible desarrollar activamente nuestros sentimientos de compasión y hacer a un lado los obstáculos que los bloquean, para que la aceptación esté acompañada de empatía, simpatía y humildad. Hay mucho que podemos hacer para cultivar la compasión como un aspecto central de la vida:

- Debido a que las personas a veces confunden la compasión con aflicción o lástima, es importante distinguirlos. La compasión no nos hace víctimas del sufrimiento, mientras que el afligirse o la lástima por otro sí lo causa. Aprender a ver el sufrimiento en el mundo sin internalizarlo y tomarlo personalmente es muy importante: cuando lo tomamos personalmente podemos sentir depresión o agobio. El mejor camino es sentir empatía sin involucrar nuestros miedos, apegos y quizás penas que no hemos resuelto.

- La práctica del *mindfulness* es de gran ayuda. Con el *mindfulness* o la atención plena podemos ver mejor nuestro dolor, sus raíces dentro de nosotros y el camino hacia la liberación del sufrimiento. A la vez, podemos empezar a cultivar «la observación consciente» ante nuestro dolor, aceptarlo y liberarnos. Es útil apreciar el valor de permanecer presentes, abiertos y atentos al dolor, tanto el propio como el de los otros. A menudo necesitamos darnos tiempo para aceptar y procesar experiencias desafiantes y permitir que las emociones difíciles se muevan a través de nosotros. Cuando no se requiere una acción inmediata, permanecer atentos al dolor no demanda mucha sabiduría ni técnicas especiales, pero sí paciencia, aceptación y perseverancia.

- Una suave atención plena de nuestro dolor aumenta la habilidad de sentir empatía por los problemas ajenos. Da tiempo para entender, aceptar y soltar. Mediante la práctica de aceptar y liberarse de la reactividad habitual, tomamos el tiempo para ver y sentir más profundamente lo que sucede. Esto permite que la empatía opere y que las respuestas más profundas surjan del interior. Así la compasión es evocada y no creada intencionalmente.

- Algunas personas se muestran renuentes a cultivar activamente la compasión porque les preocupa que pueda ser poco sincera o artificiosa. Otros temen que los vuelva sentimentalmente ingenuos o que les impida ver a los demás con claridad o de manera realista, tal vez por temor a que se aprovechen de ellos si son compasivos. Ya que nuestros esfuerzos por ser compasivos pueden desviarse, hay que tener en cuenta estas preocupaciones.

- Hay maneras sanas para aumentar la compasión. Una posibilidad es crear condiciones que favorezcan su florecimiento. Es decir, en vez de forzar en nosotros mismos la compasión, nos involucramos en actividades que la promuevan naturalmente.

- Otro requisito para cultivar la compasión es el sentimiento de seguridad: para desarrollar una vida confiada y compasiva hay que encontrar maneras apropiadas para sentirnos seguros.

Encerrarnos en nuestra casa puede hacernos sentir seguros, mas no nos lleva a acrecentar la compasión por los demás. Es más útil aprender a sentirnos seguros en medio del ajetreo de la vida. La práctica de la atención plena ayuda a enfrentar ansiedades, ensimismamientos, y nos hace menos propensos a sentirnos amenazados.

- Es importante no sentirnos obligados a ser compasivos. A menudo esto lleva a la autocrítica y a las tensiones que interfieren con el surgimiento de la compasión natural. El budismo no exige que sintamos empatía y preocupación por nosotros o los demás. Nos dice que tenemos la capacidad para ser compasivos y que serlo es un maravilloso beneficio para nosotros mismos, para los otros y para la práctica de la libertad de nuestros dolores más profundos. El enfoque puede ser cómo la compasión enriquece en vez de la manera en que empobrece.

- Tener confianza en nuestra habilidad para responder a nuestro sufrimiento y el de los demás facilita que sintamos compasión. Si nos sentimos impotentes, demasiado incómodos o, incluso, amenazados por los problemas propios o de los demás, la consciencia del sufrimiento puede añadir una sensación de amenaza personal. El desarrollo de la capacidad de sentir la compasión tiene mucho que ver con el entrenamiento lento y paciente de la atención plena, el fluir y el dejar ir.

- Una manera de fortalecer la compasión es entender y soltar lo que impide que surja. Por ejemplo, la tensión y el estrés limitan la compasión. Cuando estamos estresados, nos preocupamos para que la empatía opere. Sin embargo, cuando estamos relajados, la capacidad para la empatía aumenta, así como la capacidad para sentir compasión y amor.

- El egoísmo y el ensimismamiento bloquean la atención y la sensibilidad necesarias para que surja la compasión.

- Valorar la compasión facilita que surja en el futuro. Podríamos apreciar los beneficios que aporta a otros y a nosotros mismos.

La sensación de felicidad que genera le da valor a la compasión, que es muy atrayente cuando la experimentamos como una fuente de felicidad relacionada con nuestra libertad interior. La compasión por los demás también es un alivio cuando hemos pasado demasiado tiempo ensimismados.

- Otra condición favorable es reflexionar deliberadamente sobre la compasión, ya sea mediante la lectura o hablar con otros acerca de ella. Lo que pensamos habitualmente se convierte en una inclinación. Si pensamos con frecuencia sobre el amor, la bondad y el cuidado por los demás, surgirán más a menudo pensamientos relacionados con la compasión.

- Pasar tiempo con personas que son compasivas. Por lo general, las personas que frecuentamos ejercen una influencia sobre nosotros. Ver la compasión en los demás puede alentarla en nosotros mismos.

- Por último, comprender que la compasión es una expresión de amor ayuda a reconocer el tesoro que encierra. Cuando surge de tu libertad interior, se conecta a otras hermosas cualidades del corazón: el bienestar, la calma, la claridad y la paz.

3
Observa y elige la paz

«El precio de la libertad es la eterna vigilancia»,
THOMAS JEFFERSON

PREGÚNTATE SI...

- ¿Destinas un par de minutos al día para concentrarte en tu presente?
- ¿Inviertes más tiempo en navegar por internet o en frecuentar las redes sociales, que a reflexionar sobre tus metas?
- Cuando una persona no reacciona como tú esperas, ¿te tomas el asunto de manera personal y te sientes agredido, rechazado o subestimado?
- ¿Sueles dedicarle algunas horas de tu semana a jugar con tu pareja, tus hijos o tu mascota?
- Cuándo atraviesas una crisis, ¿te mantienes «preso» de la negatividad asociada a la situación?

SÉ UN OBSERVADOR CONSCIENTE

Dijo Thomas Jefferson (1743 – 1826), tercer presidente de los Estados Unidos, que «el precio de la libertad es la eterna vigilancia». Se refería a que no permanecer atentos podría hacer perder la libertad democrática. En el plano de la resiliencia significa que no estar alerta y con la consciencia fuera del presente, aumentan las posibilidades de perder la libertad para elegir, sentir y pensar. Te atraparán juicios propios o ajenos y los bloqueos mentales. De allí que siempre debes mantener encendido tu observador consciente.

Pero por lo general, y según un estudio de la Interactive Advertising Bureau (IAB) realizado en 2017, la gente invierte alrededor de cuatro horas diarias curioseando por las redes sociales o navegando en internet sin propósitos investigativos o relevantes; duerme siete horas como promedio, de acuerdo a investigaciones realizadas por The Centers for Disease Control and Prevention (CDC); y ve televisión unas dos a tres horas diarias, según apuntó en 2017 la empresa británica reguladora de medios. Destinamos mucho tiempo a actividades que no dejamos ni cinco minutos de observación consciente para iniciar y cerrar el día. Veamos algunas posibilidades para revertir esta situación:

PRACTICA EL *MINDFULNESS*

El *mindfulness* es una gran herramienta para desarrollar tu observador consciente y aprender a estar presente, eligiendo una actitud neutra o positiva frente a las adversidades. Las personas resilientes viven el aquí y el ahora. Las culpas del ayer o el miedo al futuro no oscurecen su presente.

Es lo que los antiguos orientales ya conocían como vivir el presente a través de la meditación y la contemplación. En las dos últimas décadas sobresale como una práctica psicológica empleada aliviar condiciones físicas y mentales, así como para manejar las emociones. El psicólogo Miguel Ángel Vallejo subraya que el *mindfulness* busca que la persona se enfoque en el momento presente, sin interferir ni valorar lo que se siente o se percibe a cada instante. El propósito es que las emociones sean aceptadas y vividas en su propia condición, sin ser evitadas o controladas.

Quienes viven con dolor físico o emocional acostumbran a revestir sus experiencias con juicios y opiniones que dificultan encontrar salidas. En lugar de enclaustrarse en estos hábitos reactivos, la gimnasia mental del *mindfulness* ayuda a analizar los problemas y a reconocer las posibilidades para solucionarlos. Según un estudio publicado por investigadores de la Northeastern University y Harvard University en la revista *Psychological Science*, el *mindfulness* nos hace más compasivos, y trae regocijo al revelar las bendiciones que nos rodean. Observa este proceso de 6 pasos sobre cómo practicar *mindfulness*:

El *mindfulness* es observar lo que piensas, sientes y cómo se encuentra tu cuerpo físico en determinado momento. Su objetivo es traer tu consciencia al ahora. Si tú no estás presente en la realidad que te rodea, tus pensamientos divagarán en acontecimientos pasados, desvinculándote del actual episodio de adversidad. Por el contrario, estar presente y observar tus pensamientos y emociones del momento darán una dirección distinta a esos pensamientos y emociones, asentándolos en lo que actualmente confrontas.

El *mindfulness* permite acceder a este proceso de contemplación interna y externa, y disponer un objetivo distinto en tus pensamientos para educar la mente, aprender nuevas formas de pensamientos y desaprender los hábitos y las conductas emocionales que te manejan.

¿Cómo iniciarse en esta práctica? Invirtiendo unos pocos minutos al día. Una clave es respirar conscientemente. Esto implica cerrar los ojos y observar cómo el aire entra y sale de tus pulmones. Inhalar y observar, exhalar y observar. Esta observación consciente es un proceso contemplativo: para ejercerlo, puedes meditar, entonar un mantra o permanecer en silencio distinguiendo lo que viene a ti, sin emitir juicios de valor. Ensayemos un primer ejercicio:

- *Cierra los ojos y sigue la siguiente tarea «voy a observar mis pensamientos». ¿En qué piensas? Tu pensamiento se disparará hacia los asuntos pendientes en la oficina o en la deuda de la tarjeta de crédito. Es decir, la mente viaja al pasado, al presente y ocasionalmente al futuro, pronosticando tus expectativas de lo que puede pasar o no. Respira, inhala, exhala.*

- *Ahora plantéate: «observaré mis emociones». Las emociones son energía en movimiento y siguen la dirección que dicte tu mente, por lo que quizá te sientas ansioso como consecuencia de los pensamientos que tuviste durante la primera etapa de esta actividad.*

- *Ahora di «observaré mi cuerpo». Durante esta fase, podrías percatarte de que quizá sufres de sobrepeso o de un raspón en la rodilla.* Cuando te concentras en observar tus pensamientos, tus emociones y tu cuerpo, elaboras una contabilidad de ti mismo que te lleva a estar presente. Aunque pienses o sientas cosas relacionadas con el pasado o el futuro, el observarlas las trae a tu presente.

- *Luego, tras los pasos anteriores, plantéate reconocer al observador consciente que lo vigila todo. Es decir, a ti mismo, a tu esencia. Si te detienes a observar a quién maneja la capacidad de «mirar» tu mente, tus emociones y tu cuerpo, ese observador es el que realmente está presente.*

CULTIVA LA ESCRITURA LIBRE

La escritura expresiva consiste en escribir sobre tus pensamientos y sentimientos más profundos. Es muy eficaz tanto a nivel psicológico como físico al servir de desahogo y ayudar a distender la carga emocional. La recomiendo ampliamente para comenzar a desprenderte de los aspectos negativos que te agobian y realinear tus pensamientos a aspectos más productivos.

Esta actividad liberadora requiere de pocas herramientas. Toma una hoja de papel y escribe lo que venga a tu cabeza, aunque el resultado no tenga orden lógico o sean palabras o frases desarticuladas entre sí. Se trata de apuntar lo que venga a tu mente, sin que intervenga ninguna restricción. ¡Siéntete en plena libertad!

Llegará un momento en que tu mente dirá «ya, se acabó». Ahora, sal de la escritura libre y anota palabras que representen emociones: «me siento triste», «me siento ansioso», «me siento preocupado», por ejemplo. Al terminar esta etapa, que puede tomarte unos cinco minutos, sentirás cierto alivio porque la escritura libre es una manera de «vaciar» la cabeza. También puedes escribir en un papel o en un diario los pensamientos y las emociones que suelen dominarte. Y luego quemar ese diario. Las llamas actuarán como un ritual de renuncia.

NO TE LO TOMES PERSONAL

Si bien es cierto que hay realidades que debemos asumir porque no podemos cambiarlas, la forma como reaccionamos ante ellas marca la diferencia. Si te instalas en tu observador consciente sabrás quién eres y conocerás tu esencia, evitando que te enganches en la reactividad emocional y los bloqueos de juicio. Es decir, no te tomarás los problemas como una afrenta personal.

Muchas mujeres víctimas de hombres maltratadores soportan la humillación porque piensan que son responsables de los ataques de su compañero. Es decir, «se lo toman de manera personal, se sienten culpables y creen que merecen el castigo», dice el periodista

Christopher Barquero, para quien tomarse las cosas muy a pecho trae más conflicto.

Parte de asumir, aceptar y fluir, así como de observar y elegir la paz, es no asimilar cada contrariedad de la vida como un asunto personal. Asumir esa actitud solo hará que entregues tu poder a otros y te mantendrá encerrado dentro de los muros de la culpa y la rabia.

Interpretarlo todo de manera personal, como si el universo y las personas que te rodean confabularon en tu contra, crea resentimientos, rencor, frustración, preocupación, y genera las típicas frases «la vida está en mi contra» o «nadie me entiende». Te hará una víctima. Si piensas así pierdes la capacidad de analizar e interpretar la verdadera intención de los demás. ¡No le des al mundo el poder de manejarte emocionalmente! No eres un teclado de computador que reacciona cada vez que se aprieta una tecla.

HAZ QUE SEA UN JUEGO

El juego es una actividad que desarrolla la capacidad de aprendizaje del niño, quien durante sus primeros años explora a través de esta práctica cómo funciona el mundo y modela su conducta.

Pero no es solo cosa de niños: la utilidad del juego en los adultos ha sido demostrada científicamente: jugar está directamente relacionado con el córtex prefrontal y la región cerebral responsable de la cognición, las mismas áreas del aprendizaje y la estimulación de la consciencia.

«No se deja de jugar porque se es viejo,
sino que se es viejo porque se deja de jugar»,
BERNARD SHAW

Al jugar imaginamos escenarios y exploramos aspectos novedosos para encontrar soluciones que nos ayuden a resolver de forma creativa muchos de nuestros problemas. Martin Seligman, impulsor de la psicología positiva y autor del libro *La auténtica felicidad*, afirma que los tres pilares de la salud mental son el amor, el trabajo y el juego. De hecho, diversos estudios señalan los beneficios terapéuticos de los juegos en los adultos, así como para tratar casos de depresión, ansiedad y estrés.

Cuando hacemos algo que nos gusta por el simple hecho de disfrutar, nuestra forma de ver la vida cambia positivamente. Lleva a sentirnos libres y a un mayor equilibrio entre nuestras obligaciones. Katherine Puckett, directora nacional de Medicina Mente-Cuerpo en los Centros de Tratamiento del Cáncer de los Estados Unidos, afirma que pese a una enfermedad grave, el juego ilumina el estado de ánimo y beneficia la salud a través de la risa.

El doctor Eliseo Goldstein, autor de varios libros de psicología, sugiere jugar con la pareja, con la familia, con los compañeros de trabajo, con los amigos, con los niños y las mascotas, para transformar nuestras emociones y experiencias negativas: cuando jugamos con otros compartimos la alegría, la risa, la diversión, y refuerza el sentido de comunidad.

Me atreveré a romper un paradigma personal con lo siguiente: jugar incluye hasta los videojuegos. Así que prueba con alguno que te entusiasme, te relaje y te reconecte con tu parte de niño. En este tiempo de gozo creamos lazos más estrechos y disfrutamos de estar juntos. Funciona como un calmante y abstrae de las exigencias de la vida cotidiana. El adulto que juega desarrolla defensas contra la frustración y expresa de una manera más sana sus sentimientos y emociones. No hay límites físicos ni de edad para jugar.

4
Utiliza todo para crecer, aprender y avanzar

«Muchas personas obtienen su éxito más grande al paso siguiente de lo que podría parecer su gran fracaso», BRIAN TRACY

PREGÚNTATE SI...

- ¿Consideras que te conoces lo suficiente?
- ¿Te importa mucho lo que piensen los demás, así sean personas extrañas?
- ¿Aprendiste una enseñanza de tus momentos críticos del pasado?
- ¿Qué aspecto de tu carácter no te gusta o te avergüenza? ¿Desde cuándo y por qué?
- ¿Crees en el dicho según el cual nadie aprende en cabeza ajena?

Seminarios Insight® adopta tres reglas fundamentales en sus eventos y programas:

1. Utilizar todo para crecer, aprender y avanzar.
2. Cuidar de ti mismo para poder a cuidar a los demás.
3. No lastimarte ni lastimar a los demás.

En las siguientes páginas nos enfocaremos en la primera regla: utilizar todo para crecer, aprender y avanzar. Aquello que ocurra en tu vida, ya sea bueno o malo, te guste o te disguste, sea lo que esperabas o un evento imprevisto, puedes utilizarlo para salir de tu zona de comodidad y expandirte, tomar acción y, por supuesto, aprender una lección. Si alimentas esa posición interna como principio de vida, no habrá situaciones adversas o difíciles, sino escenarios que te desafían para determinar qué enseñanza asimilar.

¿Cómo yo crecí, aprendí y avancé tras los eventos de mi crisis? La muerte de mi padre pudo haberme arrastrado a una situación de dolor insalvable debido a la repentina ausencia de un líder en casa. Al aplicar la regla de utilizar todo para crecer, aprender y avanzar, a cada miembro de mi círculo familiar más próximo le fue encomendada la responsabilidad de ser el líder de su propia vida. Más que buscar una figura sustituta o un guía que nos cuidara, como era mi padre, empezamos a identificar en nuestro interior para convertirnos nosotros mismos en guías.

Aquel terrible evento aceleró la madurez de mis hermanos. Empezamos a ser responsables de nuestra vida. Pese a la experiencia dolorosa, aprender de ella me llevó a estar más centrado, independiente y dispuesto a tomar riesgos. Esa experiencia elevó mi consciencia sobre lo que significa ser libre.

Sobre la medida del Alerta Roja que libró la Interpol contra mi persona, ¿qué aprendí? Encontrarme imposibilitado de viajar me obligó a reinventarme, a aprender más de tecnología para realizar tareas a distancia y, mediante las facilidades digitales, acercarme a los familiares, amigos y clientes que dejé atrás. Aprendí que yo podía estar presente de otra forma, y no necesariamente la física, como podría ser sorprender a mi mamá con un video o un ramo de flores enviado mediante una aplicación electrónica.

Además de forjar mi carácter para futuras crisis, capitalicé aquella experiencia en un libro destinado a inspirar a otras personas a utilizar la experiencia desafortunada como un trampolín para salir adelante. Yo me valgo de mi experiencia dolorosa para mostrar que todos podemos ser resilientes y salir fortalecidos de nuestras adversidades. Para ilustrar esta afirmación, nada mejor que las palabras de Sergio Roldán:

¡Qué maestros son el miedo y las dudas!

¡Qué maestros las ganas y la esperanza!

¡Qué motor tan inmensamente potente y milagroso son las sensaciones humanas!, esas que hasta los dioses envidiarían o nos concedieron con su mayor fe.

¡Qué maestro es el camino!

¡Y qué importante abandonar la persistente ansia de control, para ESCUCHAR y desde ahí sentir y escribir nuestra vida con cada paso, con confianza dentro y fuera!

AUTOCONOCIMIENTO: DESCUBRE QUIÉN ERES

Conocer cuáles son nuestras fortalezas y habilidades, así como las limitaciones y debilidades, nos ayuda a trazar metas más objetivas y realistas, e identificar los aspectos en los que podemos mejorar. El autoconocimiento permite reconocer y expresar las emociones, sobre todo durante los momentos en que atravesamos la etapa del desaliento. Se encuentra integrado por las siguientes fases:

- **Autopercepción:** es la capacidad de percibirnos como individuos con un conjunto de cualidades y características diferenciadoras.
- **Autoobservación:** es el reconocimiento de nosotros mismos, lo que incluye conductas, actitudes y las circunstancias que nos rodean.
- **Memoria autobiográfica:** es la construcción de nuestra propia historia personal.
- **Autoestima:** es la valoración que cada quien siente hacia sí mismo.
- **Autoaceptación:** es la capacidad del propio individuo de aceptarse tal cual es.

Hay varias rutas para conocernos a nosotros mismos. Cada quien puede idear la suya. Por los momentos, propongo tres posibilidades para emprender la crucial tarea de entender nuestro interior como seres humanos:

- **Quién soy:** toma tres hojas de papel. En la primera anota quién crees que eres, en la siguiente quién deseas llegar a ser, y en la última cómo vas a lograrlo.
- **La línea de la vida:** en una hoja de papel traza una línea horizontal que represente tu vida. Marca un punto medio que encarne tu ahora, y comienza a anotar las diferentes situaciones y experiencias resaltantes vividas en el pasado. Así podrás tomar consciencia de lo consideras relevante en tu existencia. Luego, en la parte de la línea referida al futuro, señala tus objetivos a corto y largo plazo, y cómo conseguirás esos propósitos.
- **Diario de emociones:** anotar las emociones brinda muchos detalles sobre nosotros mismos, otras personas o diferentes situaciones.

«De todos los conocimientos posibles,
el más sabio y útil es conocerse a sí mismo»,
WILLIAM SHAKESPEARE

RECUERDA TUS RECUPERACIONES

En cierta oportunidad, ya residenciado en Estados Unidos, fui despedido de un trabajo. Cuando supe la noticia sentí rabia y hasta indignación por la forma en que se me comunicó y las discrepancias de los mensajes recibidos por quienes me contrataron. Pero al recordar las situaciones de las que me he levantado, advertí lo afortunado que era. He ahí la llave maestra de la resiliencia: tomar consciencia de cómo salimos fortalecidos de esas experiencias amargas.

Tus vivencias antiguas, aunque dolorosas, son impulsos resilientes: si fuiste capaz de rebasar aflicciones, estás apto para ganar nuevas batallas. Cambia el enfoque. En vez de asumirte como víctima de las circunstancias, aprecia esa situación como un reto culminado. Considera tus recuperaciones como las estaciones de un viaje, no fracasos que se van acumulando en tu contabilidad personal.

APRENDE A REFLEXIONAR: PRACTICA LA AUTOCONTEMPLACIÓN

Hay una frase maravillosa que escuché en una audioconferencia de John-Roger: «Cuando resistimos a nuestra naturaleza divina, cometemos un acto de violencia contra nosotros mismos». La capacidad de observar es una cualidad presente en nuestra naturaleza divina. Si nos sabotean los pensamientos negativos, si nos dejamos subyugar por paradigmas paralizantes, si las ideas corren en todas direcciones sumiéndonos en la confusión, la salida es simple: observar, paso previo a la reflexión.

Te invito a comenzar de inmediato. Observa qué tipo de pensamientos te embargan en este momento. Tal vez recuerdes alguna situación del pasado o reconozcas que continúas sumido en una pena lejana. Estás madurando una reflexión. Ahora incorpora pensamientos positivos y reconoce que tienes el poder interior y la toma de consciencia. Esa observación incluye lo que pasa tanto dentro como fuera de ti.

Ahora hazte consciente de tu respiración. Percibe cómo el aire entra y sale de tus pulmones, repara incluso en la parte de ti que lo contempla todo. ¿Cómo sería, desde este lugar donde estás en observación, revisar esa experiencia adversa donde debes ser resiliente? Imagina la historia que estás viviendo en este momento.

Observa tu propia vivencia. Hazte consciente de la experiencia que vives o viviste. Recuerda, puedes llorar, negar la situación o sentir rabia... Ahora vislumbra tu proceso de aceptación. Imagina que comienzas a moverte, a tomar retos, a actuar con determinación. Más allá del dolor y de la tristeza, te mueves.

Observa cómo tu mente representa ese momento y cómo regresa de nuevo. Ahora estás aquí. Respira de nuevo. Imagina tu mente libre, actuando de la manera como desearía comportarse todo el tiempo. Ella puede traer esa negatividad al presente o poner en su lugar una imagen positiva. Pero debes observar. La única forma de dirigir la mente es procurar un tiempo de observación.

Pero... ¿cuánto tiempo de observación o reflexión te dedicas a ti mismo? Nos duchamos y comemos todos los días, pero olvidamos dedicar unos minutos para una tarea tan necesaria como lo es reflexionar en nosotros mismos. Convierte la observación en una práctica cotidiana y disfrutarás de dos de sus principales ventajas: producir higiene mental y avivar los pensamientos positivos.

¿Qué tipo de pensamientos podemos pintar sobre ese lienzo que es la mente? Aquellos que conecten con las cualidades que te recuerden que en algún momento de la vida fuiste guerrero. Y lo sigues siendo.

REESCRIBE TU HISTORIA

Investigaciones sobre la escritura expresiva apuntan que las personas que reformulan sus pasados conflictivos como una oportunidad de crecimiento, obtienen mejores resultados que quienes recuerdan esa experiencia desde una óptica desalentadora. Así que reescribe una historia personal difícil, pero con un desenlace distinto.

Este ejercicio revela cómo analizamos nuestra vida: o dentro del rol de víctima, o como una persona responsable que se hace cargo de la situación y aprende de la experiencia. Las víctimas hablan solo de lo malo que les ocurrió. Pero quien elige reescribir su historia desde el hacerse cargo y empoderarse, genera una emocionalidad distinta y aprovecha la experiencia como una plataforma para mejorar. También, reescribir la historia personal facilita extraer un aprendizaje de lo vivido y moldear la forma de ver el mundo.

Recupera tu poder cuestionando la historia que ha dominado tu vida. Pregúntate: ¿Es completamente cierta? ¿Qué emociones y sentimientos se disparan cuando piensas en lo que sucedió? ¿Quién sería y cómo me sentiría si esto no existiera en mi vida? Si tus respuestas indican que estos guiones te generan sentimientos y emociones negativas, decídete a cambiarlas para que operen a tu favor. Despójate de los adjetivos nocivos y observa la situación desde el amor y la aceptación.

APRENDE DE LOS OTROS

Muchas veces necesitamos vivir la experiencia para asimilar la enseñanza, pero también hay personas que aprenden por información brindada por el entorno. Si nuestro sistema de aprendizaje es capaz de recibir nociones de quienes nos rodean y sobre ellas tomar acciones y anticiparse, podremos prevenir muchas situaciones.

«Los seres humanos aprenden por lección o por información», JOHN ROGER

En tiempos difíciles recuerda que otras personas, como los refugiados de guerra o un amigo que sufrió una terrible enfermedad, lo pasaron peor que tú. El poder que manifiestan quienes superaron terribles enfermedades o amigos que viven con HIV y que ahora incluso disfrutan de un estado más saludable que el mío, me conectan con mi impulso resiliente y me empujan a reflexionar: «si ellos son capaces de lidiar con eso, ¡yo también tengo la capacidad!».

Si observas que otra persona fue resiliente y evalúas cómo utilizó sus herramientas internas, a través de esa vivencia ajena adquirirás referencias para tu desempeño.

5
Alimenta tu orgullo de sobreviviente

«La última medida de un hombre no es dónde se encuentra en momentos de comodidad y de conveniencia, sino dónde se encuentra en los momentos de desafío y controversia», MARTIN LUTHER KING, JR.

PREGÚNTATE SI...

- ¿Qué emociones sientes cuando debes tomar un riesgo?
- ¿Piensas que necesitas tener al lado a gente más fuerte que tú para que te ayude a afrontar la adversidad?
- ¿Mantienes una relación en la que tu pareja te maltrata psicológicamente?
- ¿Permaneces en el mismo trabajo que te disgusta, pese a que piensas que mereces uno mejor?
- ¿Le pones límites a las personas cuando sienten que se burlan o abusan de ti?

El orgullo de sobreviviente es reencontrarte con tu valor interno y mantener la actitud de salir adelante. Tu superviviente interno se mantiene alerta y espera la oportunidad de encargarse y asumir el valor para aprovechar las oportunidades que ofrece toda crisis.

Se vincula con la autoestima, con el valorarse lo suficiente y reconocerse como un ser humano capaz de una vida mejor. Con no quedarse enganchado en el ayer. Con que te respetes y reconozcas que vales la pena. El orgullo de sobreviviente es admitir que sí puedes. Que mereces liberarte de las dificultades, ser digno de recuperarte y ser feliz.

Es la marca espiritual que distingue a los deportistas con discapacidades físicas que bien pudieron quedarse en casa a lamentarse por su situación, pero que decidieron superar la postración. «Estos atletas no son discapacitados, son supercapacitados. Los juegos olímpicos es donde los héroes se hacen. Los juegos paralímpicos es donde los héroes llegan», afirmó el autor, publicista y hombre de negocios estadounidense Joey Reiman. ¡Qué orgullo de sobreviviente tan grande cuando te elevas por sobre un padecimiento que te acompañará siempre!

Pensar que perdimos un apego nos lleva al desaliento y a la sensación de fracaso. En ocasiones, esa pérdida, ya sea de posición económica o de estatus, es externa. «¡Qué lamentable!, ya yo no soy el director del banco», «ya no soy el acreditado consultor», llegué a decirme. Pero yo, antes que ingeniero, facilitador o *coach*, más allá de todos esos roles y títulos posibles de perder en cualquier momento, soy un ser humano. ¡Allí es donde reside el legítimo orgullo de sobreviviente!

Cuando permaneces consciente de que lo primordial es que eres un ser humano valioso, te conectas con tu orgullo de sobreviviente. Es necesario conectarse con esa fuente de amor interno y de autoconfianza que lleva a decirte a ti mismo «si yo fui capaz y lo sigo siendo, ¡yo puedo salir de esto!».

Vivimos en un mundo sin rumbo previsible. Es la llamada «sociedad líquida» que no mantiene la misma forma durante mucho tiempo. Pero en ocasiones no somos lo suficientemente conscientes para reconocer que permanecemos hora tras hora sobreviviendo en ese mundo inestable. Estamos tan metidos en la rutina, en los rituales que creamos, en las adversidades y el dolor y el desaliento, que olvidamos que ya somos supervivientes por el solo hecho de vivir en un contexto tan incierto.

Este mundo rutinario y a la vez volátil no da tiempo para detenerse y reflexionar sobre los muchos desafíos que superamos día tras día. Cuando haces un alto para reconocer lo que has logrado para llegar en donde estás, te conectas con tu orgullo de sobreviviente. Y puedes decir «¡Miren de lo que soy capaz!».

Cuando tomas consciencia de tu esencia humana y que cuentas con los recursos internos para sortear los muchos desafíos del mundo de hoy, ya puedes asumirte como una persona resiliente.

¿Cuál es la característica y cualidad fundamental de ser un «ser humano»? Que nos equivocamos y podemos elegir aprender de eso.

SÉ EL PROTAGONISTA DE TU VIDA: AUTONOMÍA

Cuando tú eres el protagonista de tu vida, la historia gira alrededor de ti. Pero cuando te sientes un actor secundario llevado por las circunstancias, la historia gira en torno a tu drama. También, muchos asumen su historia personal como una tragedia épica de la que es protagonista, aunque ese protagonista es un actor dramático y no el héroe que sale adelante.

Ser el protagonista de tu vida es conectarte con tu autonomía. Las personas resilientes están convencidas de que pueden influir en lo que les sucede. Pero si falla tu autonomía, andarás por la vida responsabilizando a otros y sosteniéndote exclusivamente sobre las muletas del apoyo social, la asistencia y la ayuda fuera de ti.

TOMA CONSCIENCIA DE TU POTENCIAL Y LIMITACIONES

Para conectar con tu orgullo de sobreviviente necesitas estar consciente de tus fortalezas y debilidades. Y, sobre ese conocimiento, avanzar. Para ello, busca y aprovecha las oportunidades de autodescubrimiento para conocerte bien a ti mismo.

Como ya he dicho en varios apartados de este libro, hay muchos caminos para iniciar el autoconocimiento: meditar, viajar con un propósito, recurrir a un *coach*, tomar cursos o consultar libros de autoayuda, son instrumentos para abordar las situaciones difíciles y enfrentarlas desde el punto de partida de conocerse a sí mismo.

NO SEAS UN «DESERTOR»

O eres un sobreviviente o eres un desertor. Huimos para sentirnos a salvo y esquivar el peligro. Alejarse de lo que nos hace daño es un deseo muy corriente, pero no siempre es la solución: aplazar o ignorar los problemas pospone el enfrentamiento con lo que genera dolor.

Cuando se huye de un peligro externo, el problema puede llegar a superarse sin complicaciones. El desafío consiste en enfrentar nuestros fantasmas internos que siempre nos acompañarán. A largo plazo, escapar de ti mismo solo aumentará las dificultades. Este tipo de escapismo puede tomar muchas formas, desde las adicciones a las drogas y el alcohol, o como a veces hago yo para evadir: trabajar horas de más sin que las asignaciones laborales me lo exijan.

Cuando te pones en la posición de desertor, eliges no aceptar que manejas la posibilidad de ser diferente. De allí la importancia de lidiar con las facetas de tu personalidad que te incomodan, sin importar cuán perturbador sea el proceso.

Una excelente manera de no ser un desertor es repetir mantras positivos como «Yo puedo hacerlo». Pero no debes quedarte ahí: luego toma medidas para cumplir tus objetivos. También posponer momentáneamente el enfrentamiento ayuda a tomar aire y cambiar de perspectiva, en cuyo caso no se trata de huida sino de reflexión.

DECLARA AFIRMACIONES POSITIVAS

La cantante Lady Gaga es un buen ejemplo de la influencia que ejercen los decretos. Esta intérprete ha revelado que recurre a las afirmaciones positivas para potenciar su consciencia. En una entrevista con la publicación *Massive Music Mondays* sostuvo que «las afirmaciones positivas ayudan a que la mente subconsciente atraiga el éxito y mejore nuestra vida. Como un mantra. Te lo repites todos los días: 'la música es mi vida, la música es mi vida. La fama está dentro de mí, voy a conseguir un hit número uno'». ¡Y miren los resultados que le ha dado esta práctica a la artista con más 150 millones de sencillos vendidos!

Decretar afirmaciones ayuda a reemplazar las creencias limitantes del tipo «no puedo» o «no soy capaz», por convicciones poderosas que impulsen tu orgullo de sobreviviente. Así como uno ora en la iglesia o medita, repetir una afirmación es una especie de oración dirigida hacia uno mismo.

La afirmación o mantra que practico desde 1988 incluye las palabras *aceptación, fluir, libertad y fortaleza.* En muchos momentos yo me sentí con aceptación, con fortaleza y con libertad; pero cuando entré en crisis olvidé mi esencia. Esa afirmación —o la que tú escojas para tu transformación resiliente— ayudó a vincularme de nuevo con mi yo verdadero y a profundizar mi toma de consciencia.

Estas afirmaciones potencian la llamada Ley de Atracción. Esta ley afirma que los pensamientos, conscientes o inconscientes, devuelven al individuo una energía similar a la irradiada. Según estudios, la mente humana genera entre 50 000 y 70 000 pensamientos inconscientes durante el día. Muchos de ellos son negativos. Al implementar prácticas positivas como lo es declarar afirmaciones, nos manifestamos desde un área de acción inspirada y transformamos la vibración energética. Pensar en positivo atraerá positividad a tu vida.

La Ley de Atracción ayuda a crear metas materiales, pero también psicológicas, que son mucho más importantes, y te mantendrá al mando cuando sientas que tu autocontrol comienza a vacilar. Se basa en dos principios esenciales:

1. Tu vida puede cambiar si eliges conscientemente lo que piensas.

2. Es imposible sentirse mal todo el tiempo si mantienes pensamientos saludables enfocados.

Si manejas pensamientos positivos y tu fortaleza está presente, generas endorfinas que te entusiasman y te mueven a la acción. No se trata de engañarnos a nosotros mismos para describir nuestra situación. En un momento determinado puede que no alcancemos el éxito esperado, lo que no significa que visualizarlo y desearlo profundamente signifique «vivir en una mentira». Son dos cosas diferentes.

Muchas personas exitosas refuerzan su disposición para el logro mirándose al espejo y afirmando frases como «hoy va a ser un gran día». Así se revisten de positividad desde las primeras horas de la mañana. ¿Cómo construir una afirmación? De la siguiente manera:

Yo soy + Nombre + Cualidades + Verbo empoderador + Fin

El Yo es primordial porque te responsabiliza, seguido de tu nombre para establecer un compromiso consciente contigo mismo. Luego, utiliza un verbo de poder que active tu consciencia y te lleve a la acción. Algunos ejemplos de verbos a utilizar son: soy, estoy, atraigo, creo, manifiesto, decido, elijo y puedo.

Seguidamente, añade la cualidad que deseas manifestar y el fin «último» a modo de intención conclusiva. Traigo a continuación un ejemplo: «Yo, Jacques, soy abierto y enfocado, viviendo a plenitud».

El propósito es repetir varias veces al día estos decretos para que se instalen gradualmente en la mente como el *software* de una computadora. Lo que manifiestes en tus decretos se arraigará en tu consciente y subconsciente hasta convertirse en una creencia que se refleje en tu actuación.

ANTICIPA

Sin dejar de vivir el presente (para estar en resiliencia necesitas estar presente en el aquí y en el ahora), anticipar que en el futuro podría darse una contrariedad te acondiciona para prevenirla y tomar medidas.

Cuando te mantienes tras las rejas de pensamientos negativos del tipo «este trabajo me desgasta» o «cuánto me afecta esta situación que estoy viviendo», sigues embotellado en el ayer. Pero un rasgo esencial del orgullo de sobreviviente es la alerta, el «debo cuidarme» o «no tengo muchas alternativas, así que pongo límites». Por tanto, para anticiparte tienes que centrarte en ti y examinar tu presente inmediato para identificar aquellas crisis potenciales que puedas prevenir.

Hay personas a quienes la noticia de sufrir una enfermedad terminal las desploma e inmoviliza. Otras se reconcilian con lo que les rodea, ordenan sus documentos, o se acercan a los amigos y familiares con quienes mantenían diferencias para pedir disculpas o perdonar lo que crean necesario perdonar. Esa organización es anticiparse ante un hecho inevitable.

Te cuento dos historias para explicar este punto. Antes de morir mi padrastro por cáncer de hígado y una senilidad prematura, olvidaba las cosas y se sumergía en estados emocionales alterados. El trauma no lo dejó reconciliarse con varios miembros de la familia ni ordenar la cesión testamentaria de los bienes a heredar. Ni siquiera un «esto es de mi esposa y que ella reparta». Ese desbarajuste llevó a que mi madre permaneciera engarzada con los hijos del primer y segundo matrimonio de mi padrastro por la legación de varios bienes.

Muy por el contrario, una amiga residenciada en Chile me relató que su padre arregló sus compromisos luego de enterarse de su muerte inminente. En la caja fuerte guardó varios sobres numerados. El primer sobre contenía el testamento. El segundo, dinero en efectivo para pagar los gastos funerarios. El tercer sobre, las claves bancarias y los títulos de propiedad. Y así. «Mi papá me dejó todo ordenado, me hizo la vida fácil», cuenta mi amiga.

Aunque a mi edad me falte mucho por vivir (¡espero!), mantengo todo en orden. Un seguro vida que beneficiará a mis hermanos porque no tengo hijos, los títulos de propiedad de mis bienes en regla, un documento con los detalles de las cuentas bancarias, y testamento con instrucciones diversas. ¿Para qué? En caso de ocurrir mi muerte, que sea más llevadera para mis familiares. Anticiparse es una forma consciente de enfrentar las transiciones ineludibles.

RÉTATE TRAS TOCAR FONDO

La gente suele bromear cuando ve que un objeto cae al piso: «De ahí no pasa». Igual ocurre con las personas cuando tocan fondo. Acá el fondo representa hundirse en el desaliento cuando no cumplimos con las exigencias que impone el ego.

En pocas palabras, el ego es el aspecto de la identidad que media entre nosotros y el mundo que nos rodea. Diversos estudiosos sostienen que es muy útil para reconocer nuestros atributos y hasta una excelente herramienta de crecimiento personal cuando es canalizado asertivamente.

El problema se presenta cuando el ego se desborda hasta convertirse en un antifaz social que nos aleja cada vez más de lo que somos. El ego a veces es un tirano que dicta qué debemos lograr y ser para sentirnos satisfechos, nos impulsa a recibir halagos y la aprobación de los demás, así como a tener el control de las situaciones.

El ego elige qué quiere y qué no: «esto me gusta, esto lo aborrezco», pareciese decir. Bajo su mando piensas, sientes y actúas según ese ser falso que desea dominarte. Cuando no cumplimos con sus expectativas, atravesamos una crisis de identidad personal y no comprendemos por qué nos sentimos vacíos o desdichados. Tocamos fondo.

Una de las señales para saber si tocaste fondo es perder la pasión, la ilusión y el interés por lo que te rodea. En ese momento tus comportamientos disfuncionales e irracionales son revelados. «Es tocando fondo, aunque sea en la amargura y la degradación, donde uno llega a saber quién es, y donde empieza a pisar firme», apuntó el escritor y economista español José Luis Sampedro. Si no llegas a los infiernos, los comportamientos errados seguirán pasando desapercibidos bajo un sentimiento de negación que al final provoca mayor disfuncionalidad.

Tocar fondo no es el problema. Todos en la vida hemos estado allí en algún momento. El problema es permanecer en él. Es el momento para iniciar el ascenso y romper las cadenas del ego. El primer paso es ¡retarte a ti mismo! Asume metas pequeñas, haciendo lo que consideres que es mejor para ti. Si quien toca fondo reconoce que se encuentra hundido en la desesperanza, buscará auxilio para reinventarse y retar a su esencia a darle un golpe de Estado al ego y retomar el poder.

No se trata de salir del foso de un solo salto. Despierta temprano y sal a correr o a hacer un poco de ejercicio físico, escucha tu música favorita, ofrécete como voluntario en algún proyecto o haz una lista con planes a futuro. ¡Muévete! y atrae hacia ti la energía positiva que viene con el movimiento.

IMAGINA Y VISUALIZA

La visualización es una mezcla de la imaginación, los sueños y la consciencia. Carece de límites y es un vehículo poderoso para crear comportamientos y experiencias futuras, y programar la mente para que fluya a favor de nuestro bienestar.

Visualizar es dejar que nuestra mente nos lleve a donde quiera, ya sea una situación del presente o del futuro, para barajar cualquiera de las posibilidades.

Como imaginar supone para el cerebro una experiencia real, fórmate una imagen mental con tus metas. Esas metas existen primero en la imaginación, luego en la voluntad ejercida para alcanzarlas y, finalmente, en la realidad.

Las declaraciones o decretos positivos de los que te hablé párrafos atrás pueden ser pensamientos internos o palabras habladas, pero también representaciones visuales de cómo deseas que sea tu vida. Es una técnica similar a la meditación, pero más activa y en la que debes dejar afuera aquello que no se relacione con tus sueños y metas. Así que visualiza la imagen de ti ya recuperado de tu crisis, sereno y satisfecho por haber superado la vicisitud.

«Si puede imaginarse, puede hacerse»
JULIO VERNE

Digamos que te gustaría imaginar que, luego de quedar desempleado, consigues un empleo más satisfactorio. Imagina tu oficina nueva, el mobiliario, la silla giratoria detrás del escritorio. No escatimes en detalles. Visualiza la papelera debajo del escritorio, el color de la alfombra a tus pies, la taza de café o té humeante frente al computador. ¡Deja que tu imaginación remonte vuelo hacia la plenitud y el bienestar! Y luego escribirlo en un lugar específico.

6
Ábrete al apoyo social

«La amistad comienza donde termina o cuando concluye el interés», CICERÓN

PREGÚNTATE SI...

- ¿Cómo enfrentas tus crisis: en solitario o te abres a recibir el apoyo y la ayuda de quienes te rodean?
- ¿Estás dispuesto a conocer gente nueva y fuera de tu zona de comodidad?
- ¿Enfrentas tus crisis con optimismo o, por el contrario, enfatizando su condición dramática?
- ¿Qué tan frecuentemente buscas la aprobación de los demás?
- ¿Tienes la sensación de que mucha gente que te rodea no le agrega valor a tu vida?

Cuando se está en resiliencia debes explorar los beneficios que ofrece el respaldo del prójimo. No desde la negatividad de la dependencia, sino desde la interdependencia sana y recíproca que debería caracterizar las relaciones humanas. El apoyo social es uno de los sustentos para enfrentar la indefensión que intenta doblegarte durante el proceso de duelo.

El apoyo externo ayuda a recuperar la autoconfianza para despegar de nuevo y renacer. Te brinda sensación de solidez y de que lo malo pasará. Conjura la incertidumbre, el dolor, la soledad, la ausencia y el miedo al futuro. El apoyo social te conecta con tu lenguaje interno para que empieces a hablarte a ti mismo en positivo.

El primer paso para recibir apoyo es estar dispuesto a tomarlo. No obstante, muchas personas en crisis no se sienten merecedoras del auxilio externo; o aquellas con una personalidad protectora, acostumbradas a ayudar y a proveer a otros, pueden mostrarse incómodas al momento de aceptar el apoyo externo. Algo parecido me pasó a mí.

John Morton, quien ya sea mediante correo electrónico, llamadas telefónicas o eventuales encuentros en seminarios y conferencias, siempre estuvo presente durante mi proceso de resiliencia, en una oportunidad me regaló las siguientes palabras: «Jacques, tú tienes años dando. Ahora es tu momento de recibir». Con esa frase me reveló que, por la ley de la reciprocidad, me correspondía recoger lo que había sembrado. Requiere humildad abrirnos a recibir el apoyo de otros.

No niego que a veces fue penoso. De joven gané una beca de estudio, y empecé a trabajar a los 18 años dando clases particulares de matemática y física, incluso como preparador en la universidad donde estudié Ingeniería. Desde los 23 años de edad me habitué a ser independiente y a costear mis gastos.

Antes de desembocar en mi crisis, fui un solicitado consultor, *coach*, conferencista y era socio de un exitoso negocio de restaurantes en Caracas. Cuando ese mundo se derrumbó, no fue fácil abrirme al auxilio externo y hasta a la caridad de otros.

Pero esa lección de humildad significó reconocer cómo muchas de las personas que me apoyaron fueron los hermosos instrumentos para un reembolso de amor, apoyo y palabras de aliento. Ni siquiera ahora puedo explicarlo con palabras. Nadie da tanto como yo recibí. Por eso, las siguientes líneas sobre la importancia del apoyo social están marcadas con el agradecimiento con las personas que me ayudaron a persistir.

LAS TRES CARAS DEL APOYO

Los seres humanos acostumbran a afrontar los desafíos de tres maneras: en solitario, con apoyo, y con ayuda. Debemos tener muy claras cada una de estas tres instancias para reconocer aquella actitud favorable y cuando, por el contrario, estamos descargando todo el peso de nuestras responsabilidades sobre los hombros de terceros:

En solitario

Cuando asumes en solitario un reto es porque te sientes independiente y autónomo. Recomiendo no abusar de esta actitud: una persona resiliente reconoce la importancia del trabajo en equipo y pide ayuda cuando la necesita.

Apoyo

El apoyo involucra recibir compañía, aliento y consejos para solucionar el problema. Es un impulso resiliente que alienta a movernos, a involucrarnos y a tomar acción. Esta orientación sigue el dicho según el cual el otro te enseña a pescar para que tú aprendas a atrapar los peces con tus propias manos.

Ayuda

Admitámoslo: cuando estamos inmersos en la inacción o en la parálisis producidas por el bloqueo emocional, en ocasiones necesitamos que hagan las cosas por nosotros. Durante la ayuda es cuando depositan el pescado directamente en nuestras manos. Aunque en crisis extremas es necesario que así ocurra, paulatinamente debes retomar el control para que la ayuda no se convierta en dependencia.

Tanto en el apoyo como en la ayuda, todo aquel que busque respaldarte asertivamente debe manifestar las siguientes cualidades:

- Empatía y sensibilidad.
- Que no te juzgue ni reproche.
- Que no te victimice.
- Leal sin pedir nada a cambio.
- Que apoye tus fortalezas y no tus debilidades.

- Que dé consejos positivos o neutros.
- Que se muestre compasivo y paciente con tu recuperación.

«Aprendí que lo importante no es hacerlo solo, sino tener la sabiduría de descubrir cuándo puedo hacerlo solo, y cuando necesito pedir apoyo o ayuda»

RODÉATE DE GENTE EMPÁTICA

La empatía es la capacidad de entender al otro y ponernos en su lugar para comprender sus sentimientos y emociones. Cuando un individuo experimenta el sufrimiento de los demás poniéndose en su lugar, despierta el deseo de ayudar y actuar. Establecer empatía aumenta el flujo de dar y recibir afecto y apoyo en las relaciones con los demás, lo que al final fortalece nuestra red social.

La persona que busque apoyar a quien afronta un proceso de duelo, pérdida, crisis o cambio brusco, debe ser empática y entender el proceso emocional que vive el otro, sin involucrarse en la situación.

Eso permite manejar la asertividad necesaria para acercarse a quien pasa por un problema y advertir en qué asuntos puede o no apoyar, cuándo brindar consejos y recomendaciones o cuándo quedarse en silencio, si es momento de preguntar sobre causas y consecuencias, la oportunidad de ofrecer asistencia financiera o no, o si es necesario expresar una afirmación desafiante o, por el contrario, morderse la lengua para no opinar en un mal momento.

PON LÍMITES A QUIENES TE JUZGAN

No todos saben ponerse en los zapatos de otros. Cuando se desencadenó la crisis con la entidad bancaria, lo primero que recibí de mi familia fueron reclamos de por qué me había involucrado en tamaño problema. Que por qué un consultor, *coach* y facilitador terminó en el directorio de un banco. La reacción familiar se basó en reprimendas como «debiste haber sido más humilde» o «no debiste aceptar eso».

Más que consejos, eran discursos sobre la humildad. No me gustó. El apoyo que necesitaba en ese momento no era financiero ni para apuntalar la posición de víctima, sino un respaldo ajeno a las críticas y los reproches. Cuando se atraviesa una crisis, además del desgaste propio de bregar con el duelo, se debilita la fortaleza interna necesaria para lidiar con los juicios de valor formulados por otros. Hubo un momento en que fijé límites y dije: «Sí, ya entendí el mensaje. Con lo que estoy lidiando es mucho más fuerte que tu opinión sobre lo que me pasó».

Uno de los pilares de mi filosofía de vida es permanecer abierto a escuchar observaciones de otros, atender consejos, considerar otros puntos de vista y hasta consultar a guías o personas con experiencia. Pero una cosa es el *feedback* para mejorar, y otra muy distinta es el apoyo lleno de culpas y condenaciones.

Se necesita de mucha inteligencia emocional para identificar lo que suma o resta en el apoyo social. No agrega valor reclamar, discutir o juzgar. Actuaciones de ese tipo solo añaden negatividad al proceso de recuperación. Cuando transitas el proceso de resiliencia, te encuentras vulnerable y lo que menos necesitas son regaños o lamentos. En esos momentos oscuros, recibir mensajes negativos boicotea el proceso de recuperación, de renacer y de redención.

Si ese es tu caso, aprende a poner límites y exprésate asertivamente cuando notes que el apoyo deriva hacia la acusación y el reproche. En situaciones más extremas, cambia de grupo, conoce a otras personas, filtra a la gente que no te agrega valor.

IDENTIFICA A TUS AMIGOS GENUINOS

El origen etimológico de la palabra amistad no ha sido determinado con exactitud. Hay estudiosos que afirman que proviene del latín *amicus* («amigo»), que a su vez derivó de *amore* («amar»). En todo caso, la amistad es una relación afectiva entre dos personas y uno de los vínculos interpersonales más comunes que los seres humanos cultivamos a lo largo de la vida.

La amistad involucra acudir al otro en busca de confianza, afecto, consuelo, respeto, diversión, escucha y compañía. Y es en los momentos de dificultad cuando descubres quién es tu amigo y quién no.

Muchas personas que yo suponía eran mis amigos no se comportaron como tales durante el torbellino en el que me vi envuelto luego de la intervención del Banco del Sol y Uno Valores y la posterior emisión de la Alerta Roja de Interpol. Algunas *amistades* se desvanecieron como por arte de magia, quizá por temor a involucrarse en lo que me ocurría. Una cosa es manifestar verbalmente «estoy contigo», y otra es expresarse mediante acciones. Y muy pocos «amigos» fueron realmente leales a través de la acción.

Durante mis primeros días en Estados Unidos, supe de *amigos* que llegaron a comentar en reuniones sociales: «¡Por fin! Jacques metido en un problema». Muchos de ellos eran *amigos* que tiempo atrás habían solicitado mi apoyo en el banco para obtener créditos y oportunidades laborales.

Luego de viajar a Miami tras abandonar mi apartamento en Caracas y encontrarme con mis cuentas bancarias bloqueadas, debí poner en venta mis muebles para costearme las necesidades básicas. Algunos supuestos amigos buscaron aprovecharse de la situación, llegando a regatearme por muebles y enseres puestos en venta a la mitad e incluso a menos de un tercio del precio original.

Pero todo tiene su contrapartida. Dos de mis mejores amigos, Julio Trujillo y Andrés Nalsen, me dijeron: «No vendas nada más. Yo te compro todo». También hubo quienes cancelaron por adelantado la deuda contraída conmigo durante aquella inesperada venta de garaje.

Me dieron hospedaje, trabajo, dinero prestado y otros se pusieron de acuerdo para apoyar mis trámites legales; tendría que añadir una centena de páginas para mencionar todo el apoyo que recibí ese primer año.

¿Sabes cuándo en tu vida aparece una especie de ángel? Durante esa crisis tuve varios que me cuidaron y me asistieron.

Julio fue uno de ellos. Fue quien adquirió parte de mi mobiliario, y luego de yo salir de Venezuela me entregó en calidad de préstamo el dinero para comer y pagar deudas, y atendió mis desahogos y ataques de rabia. Incluso viajó a Caracas para recoger mi ropa y demás efectos personales. Tiempo después me apoyó para formar mi empresa de consultoría y crear mi página web. Siempre me insistía con una excepcional sugerencia: «tienes que trabajar, ¡ponte en movimiento!».

DEPÚRATE DE LA GENTE TÓXICA

¿Cuál fue mi reacción ante las muestras de aprovechamiento, burla y alejamiento de muchas de las personas que hasta ese momento consideraba mis amigos? Las saqué de mi vida. No deseo manifestarme desde el rencor o el resentimiento, pero tan importante como reconocer a la gente que te apoya en la situación de adversidad, es saber elegir a quiénes mantener cerca.

Parte de liderar una crisis es limitar la energía negativa y a las personas que atraen los pensamientos limitantes. Hay que invertir las fuerzas en tomar acciones correctivas. Llega un momento en que mantenerse escuchando consejos ya no ayuda. Cuando tomas consciencia, hablar con las personas que refuerzan tus creencias perniciosas es mantenerse en la historia de víctima.

«Lleno estaba el mundo de amigos cuando aún mi cielo era hermoso. Al caer ahora la niebla los ha borrado a todos», HERMANN HESSE

Quizá en los momentos de dolor no encuentres la madurez para alejar a la gente tóxica, y la sigues tratando por ser parte de tu círculo social durante mucho tiempo. Pero uno de los beneficios de las crisis es la estampida que genera entre las relaciones parasitarias: como no estás en posición de dar, quienes han estado contigo por interés te abandonan de inmediato. Ni debes mover un dedo para depurarte de las relaciones parasitarias. La crisis lo hace por ti.

LIBÉRATE DE LAS EXPECTATIVAS

A veces el problema no son los otros, sino las expectativas que te has formado sobre ellos. Y las expectativas son una ilusión. Concebimos una imagen mental de cómo deberían de ser y actuar quienes nos rodean, y ver que no cumplen con nuestras aspiraciones genera rencor y resentimiento. No todas las personas responderán del modo en que deseas.

Hay que entender que muchos de ellos actúan de la mejor manera que tienen a su alcance, que son seres humanos con su propio grado de consciencia. Como parte de la resiliencia es fluir, debes estar abierto a recibir el apoyo de otras personas de la forma en que pueden ofrecerlo.

Tras la muerte de mi padre me convertí en un referente en mi familia, en un guía, amigo y sostén económico. Yo no solo era un hijo para mi madre, sino también su compañero, quien la acompañaba al cine y a cenar. Pero luego de los sucesos del banco, ella y mis hermanos enfrentaron su propio duelo ante el acoso de los periódicos y la televisión.

Sufrían una rabia que, aunque yo la entendía, puso su mira en mí por haber permitido esa situación, tener que partir del país y dejar de estar presente. De ser quien siempre apoyaba, pasé a necesitar ser apoyado. La dualidad de sentir amor y apoyo, y un momento después ser blanco de reclamos, se resolvió tras salir de Venezuela. Mi familia me apoyó incondicionalmente y estaba impactada por verme desmoronado. A veces prefería no comunicar lo que me pasaba para no preocuparlos más.

Si permaneces atrapado en tus expectativas no podrás leer las buenas intenciones del prójimo. Estar consciente te permitirá reconocer que ellos hacen lo mejor que pueden. Que son individuos en un continuo proceso de aprendizaje, al igual que tú. Así que cuando busques el apoyo social deshazte de las expectativas: liberarte de ese tipo de prejuicios te facilitará abrirte con fluidez al respaldo externo.

ESTABLECE NUEVAS RELACIONES

Cuando vives por mucho tiempo en un mismo territorio, tu círculo social se articula alrededor de la gente de toda la vida: los amigos del vecindario, del colegio y de la universidad, las exparejas y los compañeros de trabajo. Pero si por cualquier circunstancia abandonas esa zona segura, debes reinventar tu mundo social.

Frecuentar las mismas personas puede llevar a quedarte estacionado en tu zona de confort. Muchas veces nos limitamos a permanecer con el mismo grupo de personas, con lo que seguimos obteniendo los resultados de siempre. Una clave del apoyo social es abrirse a establecer nuevas relaciones. Para ello, cruza tu zona de comodidad y explora.

Cuando emigras estableces nuevas relaciones, y más si las anteriores eran desgastantes y tóxicas o están estrechamente relacionadas con la experiencia adversa que viviste. Yo debí abrirme a nuevas relaciones en otro país, con una cultura y gente distintas. ¡Y conocí gente fantástica! Como cuando de niño te trasladaban de un colegio a otro y sufrías un mundo... hasta que conociste nuevas y extraordinarias amistades.

Así como parte de reconstruir tu vida social es tomar consciencia de quiénes son tus amigos, asumir el riesgo de buscar nuevas relaciones es otro maravilloso reto a enfrentar. Eso sí: rescata las amistades genuinas previas a la crisis, y ábrete al apoyo social que puedan brindarte las nuevas amistades cosechadas durante y después.

EJERCE LA COMPASIÓN

Richard Davidson, doctor en neuropsicología e investigador en neurociencia afectiva, descubrió que la compasión impulsa a movernos y alivia el sufrimiento. Sus estudios revelaron los beneficios que ofrece la compasión y que la bondad es uno de los pilares de un cerebro sano.

Tras conocer al dalái lama Tenzin Gyatso en 1992, el líder espiritual tibetano le sugirió a Davidson concentrar sus estudios neurocientíficos en los aportes de practicar la amabilidad, la ternura y la compasión. Y así lo hizo. Davidson encontró que los circuitos neurológicos que conducen a la empatía y a la compasión son diferentes, mientras que la ternura forma parte del circuito de la compasión.

Todos ellos se pueden entrenar para mejorar nuestro bienestar emocional y mental. Ahora, escribiendo esto, recuerdo que tuve la oportunidad de conocer al dalái lama y estrechar su mano cuando visitó Venezuela en 1992. ¿Cómo cultivar la compasión, la empatía y la amabilidad? El doctor Davidson recomienda lo siguiente:

- Traer a la memoria el momento cuando una persona amada sufría y revivir cómo la ayudamos a superarse. Luego ampliamos el foco a personas que nos son indiferentes e imaginar cómo podríamos ayudarlas a superar sus contratiempos, hasta finalmente abarcar a aquellas que nos irritan.

- Otra técnica sugerida por el experto y director del programa mundial Healthy Minds, iniciativa respaldada por el mismísimo dalái lama, es enviar mentalmente buenos deseos a los extraños con los que te cruzas en la calle o en el automercado. Así ennobleces la calidad de tu jornada y te llenas de energía positiva.

RECIPROCIDAD: APOYA A OTROS

Socializar también es apoyar a otros. Incluso si atraviesas tu propio proceso de dolor, ser sostén de tu prójimo te permitirá descubrir que tu problema no es tan abismal. En un estudio sobre resiliencia psicológica realizado en 2017 entre veteranos del ejército de Estados Unidos que mostraban altos niveles de gratitud, altruismo y sentido del propósito, se evidenció que esos individuos también presentaban mayores habilidades de resiliencia. El estudio confirmó que la gente que durante su padecimiento apoya a otros en vez de solo pedir ayuda, intensifica su capacidad de recuperación.

«Cualquier manera en la que puedas acercarte a otros y ayudarlos es una forma de salir de ti mismo y de tu propio problema, lo que constituye una forma importante de aumentar la propia fuerza. No tiene que ser una misión elevada, puede ser apoyar a tu propia familia y amigos. Que en lo que participes tenga sentido para ti puede ayudarte a superar todo tipo de adversidad», se concluye en dicho estudio.

Con servir a tu prójimo te envías a ti mismo dos mensajes: el primero es que hay gente más necesitada que tú, lo que indica que tu situación no es tan mala como presumes; mientras el segundo mensaje radica en que si sirves a otros es porque tienes más de lo que realmente necesitas. Si te sobra de lo que requieres para vivir al punto de tender generosamente tu mano para socorrer a los demás, es porque el universo así lo dispuso y debes mostrarte agradecido.

- Servir a otros te impulsa a superar la sensación de inutilidad que puede embargarte durante el desaliento. Así como el apoyo social demanda la presencia de amigos, uno también debe estar ahí, presente y recíproco.

- No se trata solo de ayuda material. Conversar ejerce un extraordinario poder sanador. Haz pequeños favores a tu alcance, ya sea preparar una taza de café o cuidar por una tarde a los hijos de tus amigos.

- Ante quienes te apoyan no asumas la posición del receptor ni pienses en ellos como proveedores. Ponte en modo amigo y compórtate como tal. Corresponde con tiempo, cariño, palabras de afecto y compañía.

- Suministra porque no sabes cuándo las circunstancias se den vuelta y te toque recibir. Es un proceso simbiótico donde das y obtienes. Cuando la gente siente que la has tratado amorosamente y estás allí para cuando lo necesite, devuelve lo que recibe.

RODÉATE DE ACTITUD POSITIVA

Cuando le dije a mi padre que yo deseaba incursionar en el mundo de los restaurantes, me respondió: «A los Giraud siempre les va mal en los negocios: quiebran o los estafan». Al preguntarle sobre el origen de tan desalentadora opinión, no dudó en afirmar: «Hijo, solo quiero evitar que te estafen, que te vaya mal en el negocio y pierdas tu dinero. Quiero evitar que tengas dolor».

Su preocupación partía desde una aproximación incorrecta al dolor. No obstante, me involucré con gente con iniciativa y experiencia en el área, que se desafiaban constantemente a sí mismas y al entorno. Finalmente, ¡a mí me fue extraordinariamente bien con esa iniciativa gastronómica!

Las personas a tu alrededor influyen en tu actitud y en las decisiones que tomas. Cuando nos rodean seres entusiastas, nuestra energía aumenta y nos sentimos reconfortados y motivados a recuperarnos. Las personas positivas creen en la esperanza y ayudan en la toma de decisiones inteligentes. La actitud de la gente positiva es contagiosa e influye favorablemente la percepción sobre las circunstancias trágicas, además de ser una excelente guía cuando enfrentas un dilema, y ayudan a tomar decisiones útiles y realistas, sin amarguras ni resentimientos.

- Así como sugiero poner distancia cuando trates con personas pesimistas, si te agrada la energía de otra persona, disponte a conocerla y pídele consejo. La mayoría de la gente positiva está abierta a guiar a quienes quieran seguir su optimismo y serenidad.

TE APOYAN EN TUS FORTALEZAS

Si deseas crear una nueva realidad debes limitar el acceso de las personas que refuerzan tu rol de víctima, y acércate a gente que colabora con tu toma de consciencia. Plantearte las siguientes preguntas te ayudará a cumplir ese propósito:

- ¿Qué estoy haciendo diferente ahora?
- ¿De quién me estoy rodeando?
- Esa persona de la que me rodeo, ¿está alineada a mi esencia, apoya mis fortalezas o mis debilidades?

No se trata de evaluar si ese individuo te beneficia o perjudica. No hablo de beneficios, sino de alineamiento. A veces nos acercamos a personas que no apoyan nuestras fortalezas, pero igual aceptamos su presencia porque ignoramos cómo poner límites o porque no estamos lo suficientemente conectados con nuestra esencia.

El amigo verdadero sabe que, si recuperas la autoconfianza y te mueves a la acción, finalmente lograrás reordenar tu vida. Para ello debe apoyar tus fortalezas, no tus debilidades. Un amigo te brinda la sensación de hogar que se pierde cuando se cruza la fase de desaliento.

Así me sucedió en los eventos en los que participaron mis entrañables amigos María del Carmen, Atilio, Alejandro, Julio, Flavio y Huguette. Cuando salí de Venezuela rumbo a Estados Unidos, me encontraba sumergido en un cóctel de emociones que iban y venían del dolor a la confusión, de la resistencia a la rabia... Hasta que recibí la llamada telefónica de una mujer maravillosa que me dijo: «¡Vente a mi casa! Vivirás aquí y te apoyaremos».

Era María del Carmen, a quien cariñosamente llamo Maricarmen o Houston. Viví durante cinco meses en su apartamento, un inmueble de tres habitaciones en el que conté con mi propia alcoba y sala de baño. ¿Quién recibe a alguien bajo su techo y lo mantiene por tanto tiempo? ¡Solo un amigo!

Además de ayudarme a reiniciar mi trabajo en *coaching* y consultoría, Maricarmen pagó los honorarios médicos para la terapia que necesité para enfrentar la crisis que estaba por agudizarse con la emisión de la nota de Interpol. El domicilio que yo mantenía registrado en México era el suyo. Para no ponerla en riesgo tras difundirse la orden de Interpol, me hospedé en casa de Atilio, con quien no podrían relacionarme directamente hasta que organizara mi regreso a Estados Unidos.

Alejandro me puso en contacto con el abogado que me ayudó a resolver parte de mi situación en México y a salir para los Estados Unidos. Al llegar a Miami, Atilio era propietario de un apartamento donde viví ¡otros tres meses! Pero no solo eso. Atilio fue generoso en consejos. Nunca preguntaba qué necesitaba yo. Solo lo ofrecía.

Tras permanecer ese tiempo en el apartamento de Atilio, durante los siguientes tres meses viví donde Flavio y Huguette Guaraní, amigos de ascendencia brasilera y en cuya casa me sentí cuidado y querido. Flavio, quien falleció en 2011, era un hombre excepcional, una especie de mentor o guía. Me abrió las puertas de su hogar y me ofreció consejos neutros y de aliento.

Todas estas personas eran una presencia diaria que expresaron empatía hacia mí. No reclamaron. Fueron solidarias y asertivas. Sabían cuándo hablar y cuándo callar. Gracias a ellos, nunca me sentí solo ni me detuve en la sensación de abandono que produce la espiral de desaliento.

Como ya dije, el apoyo social llena los vacíos. Esos amigos incondicionales asumen ciertos roles y compensan pérdidas. En mi caso, Maricarmen fue la hermana mayor protectora; Atilio, Julio y Alejandro se comportaron como hermanos; Flavio y Huguette fueron los amigos, mentores y padres sabios. Cada uno de ellos representó un rol: padre, madre, hermanos, amigos. Yo tenía una familia.

Esa estupenda gente a mi alrededor me hizo sentir otra vez en casa. Toda esa hermandad se nutría, no de la diversión ni del trabajo, ni de lo social o los lazos, sino del amor incondicional. El apoyo social es un instrumento de Dios y del universo.

COMUNÍCATE CON OPTIMISMO

La persona que vive la adversidad ha de mostrarse lo suficientemente neutra para abrirse al apoyo sin sentirse víctima ni procurar placebos. Pero si vas por la vida comunicándote desde el papel del mártir inmolado, exponiendo a la menor oportunidad tu tragedia personal, en algún momento la gente se fastidiará o empezará a decir «tanto tiempo que ha pasado y este sujeto sigue en lo mismo».

- Si tras el apoyo externo sigues enfrascado en la lamentación, no tardarán en comentar «le hemos dado amor, trabajo, recursos... ¡y continúa quejándose!».
- Si siempre te estás manifestando desde la aflicción, en algún momento quienes te rodean se agotarán y tomarán distancia. Así que cuando busques apoyo social no te instales en una postura de «me tienen que dar todo», «me lo merezco porque soy yo quien tiene el problema» o «yo soy la víctima». Esa no es la actitud.
- En lo que sea posible, renuncia a imprimirle a tu vivencia la condición de drama. Si sigues actuando desde el dolor, no reescribirás tu historia ni te harás cargo de la situación.
- Comunícate con optimismo, incluso ensaya contar los acontecimientos desafortunados desde una perspectiva diferente y ligera.
- Hazles saber a quienes te han asistido que su apoyo tuvo en ti un efecto reconfortante, que noten que te recuperas y que les devuelves el cariño profesado.
- Esfuérzate en no quejarte, en mantener tu molestia dentro de ti, no tragándola sino asumiendo la responsabilidad de tus penas.
- Sé agradecido a través de tus palabras, tus acciones y tu generosidad.

7
Cultiva el buen humor

«La función química del humor es cambiar el carácter de nuestros pensamientos», LIN YUTANG

PREGÚNTATE SI...

- ¿Te preocupa por cómo suena tu risa y por eso temes sonreír?
- ¿Crees que reír es una «traición» al proceso de duelo que debes vivir siempre entre lágrimas y lamentos?
- ¿Pasas más tiempo malhumorado y deprimido que alegre y contento?
- ¿Le cuentas historias divertidas a tus familiares y amigos?
- Cuando estás de mal humor, ¿te molesta la risa de las personas que te rodean?
- ¿Serías capaz de inventar una historia divertida basada en tu crisis?

Fui criado con la creencia de que la alegría y el buen humor son innecesarios y poco provechosos para el desarrollo personal. De allí, supongo, proviene mi talante serio, una de las carencias que, lo admito, obstaculizan mi carácter resiliente. No obstante, sería un irresponsable si no reconozco los muchos beneficios que el humor aporta al momento de enfrentar y recuperarnos de las crisis, para luego convertirlas en oportunidades fructíferas.

Nelson Mandela decía que su alegría y buen humor fueron grandes aliados durante los 27 años que estuvo en prisión. Y Christopher Reeve dictó desde su silla de ruedas el libro *Nothing is*

Impossible: Reflections on a New Life, sobre su experiencia tras quedar parapléjico, y donde incorporó un capítulo sobre el humor. Allí el mejor Superman de todos los tiempos reconocía que es difícil cultivar el buen humor cuando uno está azotado por las penas, pero se puede y ayuda a crear resiliencia.

Reír libera endorfinas en el organismo que contrarresta la ansiedad, el estrés y la depresión, por lo que sus bondades son útiles para mejorar el estado de ánimo. A su vez, reír ejercita los músculos de la cara y ofrece una sensación de alivio: cuando reímos sentimos que dejamos escapar parte de las preocupaciones que ocupan nuestra mente.

Según se ha demostrado científicamente, los 'efectos secundarios' de la risa (aunque la finjas frente al espejo) alivian el dolor, aumentan el bienestar psicológico, combaten el estrés y la depresión leve y suben las defensas. De hecho, existe una rama de la ciencia, la gelotología, que estudia la risa como mecanismo de terapia y la cual afirma que una carcajada de unos 3 minutos ofrece los mismos beneficios que 15 de ejercicio aeróbico.

«La risa es, por definición, saludable»
DORIS LESSING

Si no buscas momentos de alegría en medio de una situación estresante, te sumirás en la tristeza característica del desaliento. No se trata de burla ni de tomártelo a la ligera. «Resiliencia es cultivar una aceptación alegre, serena y activa, no una resignación pasiva y quejumbrosa», reflexión de Gonzalo Gallo González, escritor colombiano y conferencista sobre temas de ética, motivación, liderazgo y calidad de vida.

El buen humor nos hace más fuertes frente a las adversidades, ayuda a controlar la ira y es un mecanismo natural del organismo para liberarnos de emociones dañinas. «Podemos reír de manera espontánea ante el miedo, la rabia o por tristeza. Por tanto, el humor es terapéutico en sí. Están comprobados sus efectos a nivel físico, psicológico, mental y emocional, como relacional, afectivo y sexual», explica la psicóloga Ana Sierra, experta en risoterapia y yoga de la risa.

Extraño las reuniones en casa de Kenny Aliaga, y junto con Mariana Machado, en donde lo único que hacíamos era llorar de la risa por las historias que compartíamos. Era una catarsis especial, diferente y sanadora.

MANTÉN UNA ACTITUD NEUTRA

La gente acostumbra a decir a quien atraviesa una situación difícil: «no te preocupes, vas a salir adelante». Aunque sean dichas con buena intención, ese tipo de frases solo alimenta el falso optimismo. Es mejor ser realista, estar consciente y entender «este es un proceso que yo estoy viviendo», «este es un proceso de sanación». Esa es la actitud neutra, no ser indiferente, ni tampoco fingir que estás feliz.

Mantener una actitud neutra es encarar con la mayor objetividad posible la situación para dejar de formarte falsas expectativas. La mejor actitud neutra es aceptar y fluir con lo que pasa. No te apures en parecer festivo a toda hora del día. Hay una diferencia entre ser divertido y tener un sentido del humor.

Para Karyn Buxman, orador motivacional, neurohumorista y autor de *¿Qué es tan gracioso sobre la enfermedad del corazón?*, no hay necesidad de preparar un discurso lleno de chistes para contar a los amigos. Es suficiente con concentrarse en disfrutar y compartir con las personas que te acompañan.

8
El «universo» siempre conspira a tu favor

«No nos corresponde a nosotros aprender a controlar este mundo. Eso es mejor dejárselo a Dios», JOHN MORTON

PREGÚNTATE SI...

- ¿Cuántos minutos al día dedicas a fortalecer tu espiritualidad?
- ¿Inviertes tiempo en orar, rezar o meditar, pero sin luego tomar acciones para alcanzar lo que deseaste durante la práctica espiritual?
- ¿Crees en las casualidades o que las cosas ocurren por un designio superior?
- ¿Culpas a Dios por las cosas malas que te pasan en la vida o, por el contrario, le agradeces por abrir una apertura hacia el aprendizaje?
- De no ser creyente religioso, ¿a quién te diriges cuando crees que alguna situación te sobrepasa?
- Cuando un evento no ocurre como lo deseas, ¿de inmediato pierdes la esperanza?

EL UNIVERSO CONSPIRA

Tras la tempestad desatada por la Alerta Roja de Interpol, también viví muchas situaciones tan positivas como inesperadas. Durante semanas traté de contactar al abogado mexicano Miguel Nassar, reconocido por su experticia y por sus premios internacionales relacionados con el tema, para gestionar los trámites legales y regresar de México a Estados Unidos. Mis intentos fueron inútiles.

Una tarde coincidí en un café con mi amigo Alejandro Aguirre. Le expliqué mi situación, casi que por casualidad y sin intención de que me ayudara. Fue una charla de desahogo. Mi sorpresa fue grande cuando dijo conocer a una persona cercana a Nassar.

A través de Alejandro contacté a Diego Ruiz Durán, quien trabajaba con Miguel Nassar. Al día siguiente el prestigioso abogado me atendió en su bufete. Gracias a todos ellos salí de México tras una secuencia de eventos y de personas que, aunque no tenga la capacidad para explicarlo racionalmente, te obligan a reconocer la existencia de una perfecta sincronía que sobrepasa el entendimiento humano.

Por ejemplo: ¿cómo logré que por más de 30 días Interpol no me localizará en Ciudad de México para detenerme? ¿Cómo logré salir de un país desde un aeropuerto internacional con una medida de alerta roja de Interpol? Y algo adicional, ¿cómo después de 4 horas en espera en el aeropuerto ejecutivo de Fort Lauderdale, logré ingresar legalmente a USA y poder presentar mi caso de asilo en libertad y no detenido en una cárcel de inmigración?. Estas son preguntas que solo Dios y el Universo podrán contestar. O quizás yo podría hacerlo en forma privada después de tres copas de vino tinto.

En algún momento crítico de tu pasado de seguro apareció una persona o se dio una circunstancia que impulsó tu meta de sobreponerte. Es la manera misteriosa y a veces no tan evidente con que el universo te tiende su mano. Antes de partir de Venezuela, las autoridades liberaron en mi contra una orden de aprehensión en la que se me imputaba injustamente de tres delitos: asociación para delinquir, apropiamiento indebido de fondos públicos e ilícitos cambiarios.

Tiempo después, La Ley de Ilícitos Cambiarios fue derogada, liberándome de uno de los cargos de los que se me acusaba. La única respuesta que ahora puedo ofrecer es que yo necesitaba mantener la fe en Dios para resolver aquellos asuntos que escapaban de mis manos. A estas extraordinarias «coincidencias» me refiero cuando hablo de que el universo siempre conspira y Dios se hace presente.

Hay cuestiones que son de tu absoluta responsabilidad y ante las que Dios parece decir «ese es tu problema. Resuélvelo». Dios no puede ser responsable de las consecuencias de nuestras acciones. Pero hay otras circunstancias que están bajo su dominio o potestad. Es en estos momentos cuando Dios te arrima el hombro para balancear y alinear la situación.

«Padre, aquí estoy. Soy tu hijo. Haré con gusto lo que tengas para mí», SAN AGUSTÍN

FE ES MOVIMIENTO

Fe es la expectativa por cosas no aseguradas. Implica la espera por eventos que no hay certeza de que lleguen, pero también abarca movimiento porque mantener las expectativas nos empuja a buscar soluciones: Dios te impone desafíos, pero también te ubica en la posición y en el lugar adecuados para manejarlos.

Te advierto desde ya: tener fe y confiar en que el universo conspirará a tu favor no es quedarse sentado a que una divinidad obre un milagro que te rescate de tu destino, ni esperar los beneficios que pueda ofrecer un agente externo. Tener fe y confiar es reconocer que dispones de los recursos internos para resolver los percances.

Necesitas creer en que eres capaz de transformarte y superar la adversidad, porque si eres de la idea de que Dios es el responsable absoluto de tus problemas, entregas parte de tu poder para afrontar la fatalidad. Tú eres el responsable de tu vida. Dios espera que te hagas cargo de esa responsabilidad dándote el tiempo y las herramientas necesarias para conseguir tus fines. Dándote resiliencia.

MANTÉN UNA PRÁCTICA ESPIRITUAL

La espiritualidad no es religión. La espiritualidad es creer que todos los seres humanos estamos íntimamente conectados por algo más grande que nosotros mismos. Ese sentimiento de unión se transformó en un punto de apoyo que me permitió fluir y atravesar las situaciones adversas que viví.

Tras liberarse en mi contra la Alerta Roja de Interpol, me despertaba sobresaltado en las noches y durante el día me mantenía angustiado. En cierta oportunidad un amigo me dijo: "entrega tus sueños a Dios antes de dormir". No recuerdo exactamente sus palabras, pero desde entonces comencé a dormir tranquilo y seguro. Aun hoy no sé cómo explicar la sensación de serenidad que me embargó. Sentía que nada me iba a pasar. Que contaba con una protección superior.

No importa en lo que creas, ¡pero cree! Llámalo Dios, universo, la luz... coloca el nombre que mejor te funcione. En todo caso, la mejor manera de materializar este consejo es ejerciendo una práctica espiritual, ya sea meditar, asistir a la iglesia, orar durante las noches, o realizar servicio comunitario.

La clave es establecer con Dios una especie de «sociedad». Y cuando se forma una sociedad, cada parte aporta su cuota para alcanzar el objetivo. Cultivar una práctica espiritual implica mejorar la relación en esta «sociedad» y acercarte a tu «socio». Dios o el universo brindarán el apoyo extra que pareciera estar fuera de tus posibilidades, o el equilibrio para encontrar las soluciones.

Mantener una comunicación con Dios elevará tu nivel de entendimiento, permitiéndote no solo ser más resiliente y sanar, sino también robustecer la confianza en ti mismo. En lo personal, desde hace 30 años formo parte de MSIA, un movimiento espiritual ecuménico, sin dogmas y abierto a cualquier tipo de religión, fundado en California, Estados Unidos, a finales de la década de los 60 con el fin de cultivar la trascendencia del alma mediante la elevación de la consciencia. Allí se pone especial énfasis en los frutos que brinda abrazar tu espiritualidad.

Así mantengo una sana relación con Dios. No ese Dios que muestran las instituciones, sino el Dios que habita en todo lo que nos rodea, en los gestos de las buenas personas, en la naturaleza, en lo que se aprende cada día. Mis prácticas espirituales se fundamentan en la meditación, la oración, el servicio social, agradecer por las bendiciones de las que disfruto, y en muchas ocasiones rezo en una iglesia, templo o centro con símbolos religiosos, para desarrollar la comunicación interna con lo que yo creo, sin importar el nombre que le ponga. Orar, meditar, rezar o agradecer me reconcilia conmigo mismo.

No es mi intención acá sugerir una práctica religiosa en particular. Como dije antes, espiritualidad no es religión. Mientras la religión es un conjunto de creencias y rituales que buscan llevar a una persona a establecer una relación con Dios, la espiritualidad es un enfoque sobre el mundo espiritual en vez del físico. La espiritualidad nace y se desarrolla dentro de ti, aunque pudiera ser detonada por una religión o por medio de una revelación.

Cada filosofía religiosa, mística y espiritual brinda su propia aproximación a la resiliencia. Por eso, más allá del método o el rito, concéntrate en la intención. Cuando te conectas con la fe que hay dentro de ti, en ese algo superior que te cuida y comienzas a agradecer las experiencias que te elevan y de las que aprendes, encuentras la fuerza para comenzar a ver ese proceso de aceptación y cumplir satisfactoriamente el proceso de duelo.

CREE EN TI

Los no creyentes tienen a la mano una poderosa alternativa: tener fe en sí mismos al momento de enfocarse en las otras claves de la resiliencia. Los evolucionistas y quienes contradicen la existencia de Dios son unos convencidos de que la vida es el resultado de un milenario proceso de transformación, que la naturaleza de nuestra energía primigenia cambia y prospera hacia nuevas formas. Y la transformación es resiliencia.

Si no profesas una creencia en un ser superior, enfoca tu fe en creer en ti y en tu energía transformadora. Para empezar, vigila tus pensamientos y observa cuál es el trato que te das a ti mismo, aquellas palabras que usas para referirte mentalmente a ti, si te degradas o, por el contrario, te inspiras y automotivas. No importa cuál sea tu creencia o punto de vista, la primera fe a ejercer es contigo mismo. Si no crees en Dios, la fuerza transformadora vive en ti. Y si crees en Dios, recuerda que una parte de Él vive dentro de ti.

CONFÍA EN EL *BIEN MAYOR*

El asesinato de mi padre ocurrido aquella tarde de diciembre de 2002 es una demostración del significado del *bien mayor.* Mi padre estaba a pocos metros del asesino cuando este empezó a disparar a la multitud presente en la Plaza Altamira. Según testimonios recogidos luego del suceso, mi papá se abalanzó sobre el homicida para impedir que siguiera la matanza.

Él era un hombre de bajo perfil, pero su vida terminó heroicamente. Tanto fue así que a su sepelio asistieron casi cien mil personas más los principales medios de comunicación del país. Somos seres espirituales encerrados dentro de un cuerpo físico. Cumplimos ciclos, tenemos propósitos y dejamos legados. Mi padre debía enfrentar aquella situación, cumplir su propósito y dejar ese legado.

Tras la autopsia nos informaron que padecía cáncer de próstata. No lo sabíamos. Lo había ocultado. Ahora interpreto ese hecho desde la perspectiva de la resiliencia, sin imprimirle drama ni asumir una postura de víctima. Aunque en aquellas terribles horas no lo veía así, mi padre debía estar en la Plaza Altamira. El *bien mayor* se anidaba detrás de aquella tragedia. Incluso el día anterior a su muerte él me preguntó si yo estaba en capacidad de apoyar a mis hermanos en caso de que a él le pasara algo.

El *bien mayor* es entender que las cosas ocurren por un propósito. Revela que todo lo que pasa es perfecto. Si lo que pides con todas las fuerzas de tu corazón no sucede es porque no debía suceder. Y sí sucedió, es porque era perfecto que así pasase. Incluso las crisis, pérdidas y cambios bruscos, bajo el concepto del *bien mayor* tienen un propósito para nosotros: elevarnos, aprender, madurar, fortalecernos y expandirnos en la dificultad son resultados palpables del *bien mayor.*

No es una deidad. Es un pensamiento superior dentro de tu nivel de consciencia. Al entregarte al *bien mayor* confías en que lo que acontecerá, sea lo que sea, es lo correcto. Esta certidumbre brinda un nivel de entendimiento mayor y lleva a que te desapegues del resultado que esperas de una situación pues, pase lo que pase, todo va a estar bien.

«Cada adversidad, cada fracaso, cada angustia, lleva consigo la semilla de un beneficio igual o mayor»,
NAPOLEÓN HILL

Cuando forjas tu consciencia superior bajo este esquema, tu actitud frente a las contrariedades es distinta porque se apoya sobre los pilares de la fe. No en lo que debe suceder, sino en que, indistintamente de lo que pase, sanaremos y lograremos el balance. Muy relacionado con el crecer, el aprender y el avanzar, el *bien mayor* requiere sacar un aprendizaje de lo ocurrido para, a la larga, crecer y madurar.

NUNCA PIERDAS LA ESPERANZA

La esperanza es lo que te mantiene a flote, un estado de ánimo que hace confiar en que los problemas se solucionarán. Para cultivar la esperanza, recuerda lo que ya expliqué sobre la capacidad de observar: el reconocer que luego de la tempestad viene la calma te conecta con tu paz interior.

Junto con la fe y la caridad, la esperanza es una de las tres virtudes teologales. Silva Borges, autora del estudio *Promoción de la esperanza y resiliencia familiar,* propone que la esperanza es dinámica, multidimensional, central en la vida, altamente personalizada, orientada al futuro, empodera y vincula con la ayuda externa.

9
No se trata de amor, se trata de «amar»

«Amor es un sustantivo fácil de decir.
Amar es un verbo que implica una elección y un trabajo consciente», JUAN PAULINO MORALES

PREGÚNTATE SI...

- Del 1 al 10, ¿con cuánto calificarías el amor que te tienes a ti mismo?
- Porque crees que lo mereces, ¿te consientes a veces a ti mismo con, por ejemplo, un día en el spa o un paseo por el parque?
- ¿Te aseguras de que tus seres amados sepan cuánto los quieres?
- ¿Te esfuerzas en hacer pequeñas cosas, como sacar la basura o lavar los platos, como muestras de afecto con tu pareja o demás miembros de la familia?
- En tus oraciones, rezos o meditaciones, ¿incluyes a otras personas?

ÁMATE Y CUIDA DE TI MISMO

El amor es un sentimiento de afecto. No hablo acá del sentimiento romántico, sino de la expresión necesaria para conectarse con la sensibilidad hacia uno mismo, hacia quienes nos rodean y, aunque parezca contradictorio, también hacia la crisis que se atraviesa.

Al decidir reflejar esa definición en nosotros mismos, ¿cómo podría, en un momento de crisis, tener la claridad de «desearme a mí mismo todo lo bueno»? Elegir el amor como un estilo de vida a ejercer con nosotros mismos e, incluso, depositándolo en situaciones de conflicto con otras personas, cataliza el proceso de resiliencia, transformando positivamente los pensamientos, actitudes y acciones.

Elegir el amor con acción es el mejor antídoto para el dolor. Pero en ocasiones nos enfocamos más en la situación a resolver que en cómo alimentar con amor ese proceso. ¿Por qué? Porque no nos manejamos desde el amor sino desde el miedo. Y el miedo conecta con fantasías negativas sobre el futuro. Al perder tu contacto con el presente, pierdes la oportunidad de vincularte con tu amor propio.

Eres tú quien elige determinar el nivel de amor a imprimir en la experiencia que vives, lo que permite fluir y reconectar con la autoconfianza, la fe, el cuidarse y el abrirse a servirnos y a servir a otros. Sin importar lo que extrañes o a lo que te encuentres apegado, el amor salva las distancias cuando se está lejos de lo amado, o las diferencias propias de las relaciones complicadas. Para elegir el amor y no la agresión contra ti mismo y tu entorno, recomiendo hacer servicio.

AMA Y APOYA AL PRÓJIMO

Servir a los otros es el mejor camino para cultivar el amor durante tu proceso de resiliencia. Sé que suena paradójico: durante el desaliento podemos olvidar nuestra esencia amorosa, y la predisposición a victimizarse nos instala en el centro de la atención. Pero ayudar a terceros lleva a que el foco se traslade hacia la necesidad del prójimo para, a través de la sanación del otro, empezar a sanar nosotros mismos.

Esa fue una de mis primeras tomas de consciencia. En mis meditaciones matutinas y reflexiones nocturnas me planteaba a mí mismo las siguientes preguntas: ¿estás ansioso? Sí. ¿Con rabia? También. ¿Decepcionado de la vida o las personas? Sí. Entonces, ¿qué pasaría si dejo que el amor me dirija en este momento? ¿Qué haría ahora? A veces no encontraba respuestas y terminaba cansado de tanto pensar. No obstante, en otros momentos llegaba una toma de consciencia que rompía el paradigma de «a veces se gana y a veces se pierde», y lo transformaba en «a veces se gana y en otras se aprende».

«Servir es una de las expresiones más elevadas de amor en el planeta», JOHN ROGER

Sin importar la magnitud del proceso que vivía, ya fuese la pérdida de seres queridos o de bienes materiales, las falsas acusaciones en mi contra y la medida injusta de Interpol, vivir en el exilio, el distanciamiento con personas amadas... a pesar de todo eso, sirviendo a otros comprendí que mi situación no era tan grave como que la que enfrentaban otras personas.

El servir a terceros —o, como escuché de una amiga: «agregar un valor a otro ser humano»— me permitió transformar al otro a través de mi apoyo. Así, amar al prójimo se revertió automáticamente en apoyo y amor hacia mí. Y, lo más importante, en gratitud.

Manifestar amor en las acciones hacia quienes me rodeaban me distanciaba internamente de la experiencia dolorosa y me reconfortaba. En otras palabras, al colocar «altitud» interna alcanzaba el amor que balanceaba mi esencia. Con poner una vivencia desafortunada al servicio de otros la «gracia» se hace presente. Esta es la fórmula:

Amar =

Servirme y servir a otros =

Agregar un valor en mí y en otros

DEJA QUE TE AMEN

Escuchar la frase «te amo» te conecta con la sensación que produce esa hermosa expresión y alimenta tu amor propio. No obstante, debemos reconocer que la fuente de ese amor no viene de otros, sino que late dentro de cada uno de nosotros y se expande a través del ejercicio del amar.

Juzgar los errores desde la perspectiva del amor te apartará del rencor y el remordimiento, llevándote a asumir las equivocaciones de la siguiente manera: «Excelente. Ahora debo corregirlo». Así lograrás mirar la tristeza, la ira o el desencanto como reacciones que te alertarán para resolver la crisis y obtener un aprendizaje.

John-Roger afirmó con gran acierto: «Cuando suceden cosas que a primera vista parecen injustas, busca la lección amorosa que hay detrás de todo eso. Si no la encuentras, tú mismo ponla allí para que puedas ver todo lo que te suceda a través de los ojos del amor».

Podría redactar miles de páginas sobre el amor. Ya muchos poetas, novelistas y guionistas han escrito sobre él, pero es una experiencia muy individual en cada uno de nosotros. Mi invitación es simple: ámate y ama. Eso implica ser paciente y compasivo contigo durante el proceso de recuperación. Amar es cuidarte y tratarte bien a ti mismo para elevarte sutilmente sobre la experiencia negativa que estés viviendo. Y recuerda: nunca dejes de decirle a alguien que ames: te amo.

10
Aprende a agradecer

«Gratitud es la clave que convierte
los problemas en bendiciones,
y lo inesperado en regalos», PAM GROUT

PREGÚNTATE SI...

- ¿Crees que no le debes nada a nadie?
- ¿Tomas en cuenta a aquellos cuya vida es menos afortunada al momento de agradecer por lo que tienes?
- ¿Entiendes lo afortunado que eres de disfrutar de cosas básicas como un techo, comida y ropa?
- ¿Cuentas a tu familia, amigos, pareja y personas cercanas como grandes bendiciones en tu vida?
- ¿Das las gracias cuando alguien te concede un favor?

TOMA CONSCIENCIA DE TUS BENDICIONES

El término gratitud proviene del latín *gratitudo, gratitudinis*, y está relacionado con *gratus* (agradable, bien recibido, agradecido) del cual proceden las palabras *gracia, agradar, agradecer, grato, gratuito, gratis y congratular.* Este origen etimológico revela que la gratitud es sentirse agradado por nuestra fortuna y apreciar las bendiciones de las que disfrutamos.

Agradecer eleva la energía y hace «sentirnos bien». El conferencista internacional, escritor y comunicador social Ismael Cala, menciona en sus conferencias un estudio de la Universidad de Pennsylvania según el cual las personas que envían una carta de agradecimiento a quienes les brindaron un favor, se sienten más felices durante todo un mes. Ese mismo estudio apunta que escribir por una semana tres cosas positivas que pasaron en el día aumenta la felicidad por ¡seis meses! Cala cita estudios que afirman que las personas que convierten el agradecimiento en una práctica cotidiana disfrutan de los siguientes beneficios:

- Enferman con menos frecuencia.
- Duermen mejor y se sienten más descansados.
- Realizan ejercicio con más regularidad.
- Tienen más energía, entusiasmo y determinación.
- Mantienen lazos familiares y sociales más fuertes.

Estar consciente de tu presente te lleva a reconocer las bendiciones que te rodean. Aun en la hora más oscura, alrededor de ti proliferan las conquistas y los dones por los que debes agradecer. Hasta asomarte a la ventana y descubrir que el sol, como ayer y como seguramente lo hará mañana, brilla, ¡es una razón para estar agradecido!

La frase *Baruch Bashan* se traduce como *Las bendiciones ya han sido dadas*. Sobre mi experiencia personal, agradezco que mis familiares gocen de buena salud y yo también, disfruto de un trabajo en armonía con mi proyecto de vida, imparto cursos que me encantan, mediante el *coaching* sirvo a otras personas, materialmente tengo lo que necesito para vivir, comparto con amistades extraordinarias (luego de soltar aquellas que no eran tales). También he madurado emocionalmente y amplié mi umbral de resiliencia y de merecimiento. ¡Todas esas son bendiciones por las que doy gracias cada día!

CELEBRA LAS PEQUEÑAS VICTORIAS

No solo debemos mostrar agradecimiento y celebrar los eventos memorables de la existencia, como la compra de una nueva casa o haber obtenido un título académico. Todo gran logro se construye sobre la base de muchas y pequeñas victorias: para adquirir la casa debimos haber encontrado antes a la persona que nos asesorara sobre el proceso de compra, y el deseo de conseguir un título académico quizá lo detonó la recomendación de un amigo o el hecho, aparentemente fortuito, de encontrar un billete en el metro. Esas son modestas y casi siempre inadvertidas victorias que también debemos agradecer.

Cuando has tocado fondo, necesitas celebrar los breves avances que, paso a paso, te llevan a recorrer el a veces arduo camino de la recuperación. Desahogarte mediante la conversación con un amigo, haber obtenido un buen consejo de un familiar, el rocío de la mañana o disfrutar de un día soleado, son triunfos ante los que debemos tomar consciencia y mostrar agradecimiento.

AGRADECE TAMBIÉN LO MALO

La persona que eres hoy es el resultado de las experiencias buenas y malas que has vivido. La tendencia es a olvidar lo malo en vez de aprender de ello, por lo que también debemos agradecer las circunstancias dolorosas que nos inculcaron fortaleza.

Muchas personas permanecen estancadas en el lamento y en la victimización para recibir el beneficio aparente de la compasión que despiertan en los otros. Pero si elevas tu nivel de consciencia serás capaz de decirte a ti mismo «quiero agradecer por lo malo que viví y el deseo de salir adelante». Así transformas lo negativo para concentrarte en una ganancia más real, que es obtener madurez y expandir tu zona de comodidad.

Hoy puedo gritar a los cuatro vientos ¡gracias a Dios por lo que sucedió! Tras esos eventos identifiqué a mis amigos genuinos y a los que no lo eran, aprendí a soltar apegos inútiles, salí de mi zona de confort, aprendí a mantener el vínculo con mi familia pese a la distancia, supe que lo que tengo materialmente es temporal, que no hay edad para aprender, que podía expandirme, que las herramientas sirven cuando se utilizan, y que Dios está siempre conmigo, tanto en lo bueno como en lo malo.

Capítulo VII

Súper Resiliente: del *Homo sapiens* al *Homo resiliens*

Mantener un estilo de vida resiliente

Luego de reconocer y desarrollar las habilidades resilientes, es hora de practicar para no recaer en patrones negativos y encarar los desafíos futuros desde un lugar de fortaleza interna.

«Libertad es tener la posibilidad. Que la tomes o no es tu voluntad»,
SERGIO ROLDÁN

Siempre he temido que hablar del éxito personal sea interpretado como una muestra de vanidad. No obstante, en una conversación con una de mis mentores, Kenny Aliaga, y la actriz Elba Escobar, ellas me aclaraban que es muy diferente vanagloriarse a «servir de ejemplo». Basado en mi experiencia, el haber asumido todos estos retos como un aprendizaje me permite ofrecer un testimonio que sirva de ejemplo e inspire a otras personas.

Vivir la experiencia del asesinato de mi padre, escapar de dos países, emigrar sin planificación, ser perseguido y blanco de acusaciones falsas e injustas, una Alerta Roja de Interpol, la pérdida de mi ambiente social natural, ser apartado de mi familia y demás seres queridos, la pérdida de negocios más el cataclismo de las finanzas que me llevó a vivir bajo techo ajeno y depender de mis amigos, son puntos de referencia que templaron mi carácter para afrontar con claridad, entusiasmo, perseverancia y amor hacia mí mismo, las futuras crisis. Y, por supuesto, escribir este libro para tender la mano a otros que pudiesen pasar por iguales o peores momentos.

Tras varios años radicado en Miami, puedo decir con una enorme gratitud a Dios, al universo y al grupo de personas que con su corazón excepcional me apoyaron, que conseguí lo que visualicé. Me recuperé. No fue fácil, pero las herramientas que describo en este libro funcionaron a plenitud. No obstante, la experiencia dista mucho de terminar.

En abril del 2011 solicité mi asilo en Estados Unidos, y envié cartas a la Oficina de Asilo y solicitudes de entrevistas con congresistas y senadores norteamericanos, pidiendo orientación y apoyo sobre los motivos claramente políticos de mi situación. Tras decidirse que la orden de solicitud formulada por el gobierno de Venezuela a Interpol era de carácter político, sin pruebas que determinarán delito alguno, el 26 de agosto del 2011, a casi exactamente un año de haberse emitido la medida, fui excluido de la lista pública de solicitados por la organización de policía internacional tras demostrar mi inocencia y que el gobierno corrupto de Venezuela había utilizado a Interpol para perseguirme y amedrentarme psicológicamente.

«Nunca sabes lo fuerte que eres hasta que ser fuerte es la única opción que tienes»,
BOB MARLEY

Finalmente, en agosto del 2013, se me concedió el asilo y unas semanas después recibí mi *travel document* y la posibilidad de viajar al extranjero para retomar mis cursos, consultorías y *coaching* a clientes en España, México y Brasil.

¿Cuál fue mi reprogramación mental al reiniciar mi vida en Estados Unidos? Reescribí mi guion para conseguir nuevos amigos y clientes, conocer personas que me dejaran enseñanzas, servir a otros a ser mejores seres humanos, volver a facilitar cursos, sentirme seguro en un nuevo hogar, recuperar mi prestigio profesional y estabilidad financiera, aprender técnicas y herramientas novedosas para fortalecer mi trabajo, permitirme disfrutar un poco más de la vida, vivir mi propósito desde un lugar de abundancia y amor... en fin, hacer la diferencia en el mundo con cada gesto o acción de nobleza y neutralidad.

Aunque mi situación legal en Venezuela no termina de resolverse. Luego de la muerte de Hugo Chávez, ocurrida el 5 de marzo de 2013, el tirano gobierno de Nicolás Maduro continuó controlando a fiscales y jueces de Venezuela, un país sumido por casi dos décadas en la hecatombe política, económica y social.

Al momento de escribir estas líneas, la anarquía política sigue vigente en el país donde nací. Sin embargo, mantengo la fe y la confianza en que el proceso de resiliencia se completará para alinearse y permitirme visitar Venezuela, liberado plenamente de acusaciones injustas y malintencionadas de una elite política y judicial decadente.

En el año 2018 confirmé de nuevo que el universo tiene misteriosas formas de operar y, tarde o temprano, conspira a nuestro favor. Ese año, la Fiscalía General de Venezuela declaró que no había ningún hecho punible en el caso del Banco del Sol y sus directivos. No obstante, todas las acusaciones fueron injustas y deben ser levantadas. El caso está archivado, mientras permanezco a la espera de un sistema político propicio para continuar con mi defensa legal y eliminar de una vez por todas las falsas acusaciones en mi contra.

«Para verdades el tiempo y para justicia Dios»,
JOSÉ ZORRILLA

LOS APRENDIZAJES

Muchas fueron las lecciones aprendidas durante los últimos años. Aunque antes de estallar la crisis en el banco consideraba que mi vida era plena, ganaba más de lo necesario, me sentía confortable con mi estatus y, en general, la mayoría de las variables de mi rueda de la vida estaban en balance, no era completamente feliz. Si le atribuyo a mi presente el significado correcto, estoy convencido de que hoy atravieso un momento «interno» mucho más satisfactorio del que viví tiempo atrás.

Se trata de un tema evolutivo, del salto del *Homo sapiens,* ese que se maneja solo desde sus certezas, hasta el *Homo resiliens* capaz de aprender de las adversidades. Hoy ubico mi atención en el presente para estar consciente de mi buena salud, en paz con el proceso que viví, con madurez y herramientas para gestionar procesos de pérdida, trabajando en lo que me gusta mediante el *coaching,* el *mentoring,* la facilitación de procesos de inteligencia emocional, y desarrollando contenidos de liderazgo, consciencia y desarrollo personal.

Me naturalicé como ciudadano de los Estados Unidos de Norteamérica en diciembre del 2019. Ese es mi actual paradigma, mi nuevo guion, mi historia reescrita. Definitivamente estoy muy agradecido con este país que ha sido muy amable conmigo.

El aprendizaje obtenido de la experiencia revela si fui resiliente o no. Mi prolongada crisis me llevó a descubrir la esencia del apoyo social, la que quizás antes no necesitaba por llevar durante años una vida relativamente afortunada y ser un dador. Si te va estupendamente, la gente se te acerca, te llama, busca reunirse contigo y compartir.

Pero muchas personas huyen cuando se presentan los problemas. Eso podría llevar a pensar que es cierto que los seres humanos obran para obtener un beneficio. Pero no siempre es así. Muchos amigos demostraron el valor de la amistad: ser incondicional y leal, creer en ti, brindarte alternativas y apoyarte sin pedir nada a cambio. Aprendí que no hay fronteras, lenguajes ni posiciones económicas para la calidad humana.

«Tu experiencia es lo único real en este nivel. El cuerpo físico cambia, las emociones fluctúan y la mente cambia continuamente. Tu experiencia es tu punto de referencia más válido», JOHN-ROGER

Aunque somos seres espirituales y las ganancias más preciadas son una mayor consciencia, gratitud, abundancia interna, paz y aprendizaje, también vivimos una existencia física y el resultado debe darse también en este plano. Debemos reconocer que no solo lo interno es importante, también hay elementos fuera de ti que reconfortan y te dejan saber que mereces recuperarte externamente. Pero con humildad, sin que el parámetro de comparación sean los bienes materiales. Hoy me niego a que ese sea mi único punto de referencia. Ahora privilegio mi horizonte interior y mi disposición para «hacer y servir».

EL HILO QUE NOS UNE

Les tengo buenas y malas noticias. La mala noticia es que no estamos libres de vivir crisis y de experimentar una adversidad que, como si fuésemos un resorte, nos mantiene en un constante proceso de expansión y contracción guiado por las elecciones que tomamos cada día. La buena noticia es que la resiliencia es una condición que está presente en cada uno de nosotros y se desarrolla si invertimos consciencia, tiempo y energía.

Las ideas transmitidas en este libro no fueron percibidas intuitivamente o por puro sentido común. Las investigaciones científicas confirman los planteamientos expuestos. En el libro *Journeys from Childhood to Midlife: Risk, Resilience, and Recovery*, publicado por Cornell University Press en 1992, los autores Emmy Werner y Ruth Smith exponen los resultados de cuarenta años de estudio de la población de niños nacidos en Hawái.

Los investigadores concluyeron que las personas resilientes manifiestan entre sí virtudes similares: compasión y afecto, capacidad de llevarse bien con los demás, optimismo, enfoque, disciplina, sentido del humor, capacidad de planear y de resolver problemas, creatividad y trabajo duro. Muchos de esos individuos identifican las adversidades como experiencias de aprendizaje y no tragedias o errores por los que sufrir.

Estas virtudes descritas por Werner y Smith coinciden con mi descripción de las características de una persona resiliente. Puede que las investigaciones futuras ayuden a terminar de comprender cómo un factor de protección puede compensar la ausencia de otro o, si se quiere, equilibrar las escalas de exposición a un factor de riesgo.

Espero que al observar las experiencias de las personas resilientes, o incluso mi propio ejemplo, logres reconocer en ti las cualidades que te encaucen hacia una vida satisfactoria. Que aprendas cómo manejar la negación y la ira, que tomes consciencia de que no puedes mediar ante ti mismo con autonegociaciones falsas, y que debes asumir la tristeza y el desánimo a plenitud para arribar luego a la aceptación de tu realidad y reinventarte.

También, tomar consciencia implica entrenar la mente para estar en el aquí y en el ahora, reducir la ansiedad, poner en perspectiva lo que ocurre y emprender decisiones. Si aprendiste comportamientos limitantes, igualmente puedes aprender comportamientos que apoyen e incluso desaprender comportamientos nocivos.

Se nos hace difícil asumir los procesos de dolor porque durante la infancia nuestros padres, con aquella idea de que quien muere «va al cielo» u otras creencias parecidas, nos escudan de la tristeza de la pérdida, impidiendo experimentar con toda su crudeza un proceso de duelo real. De modo que cuando creces no sabes manejar las experiencias dolorosas que aguardan en las esquinas de la vida. Si desde niños nos fortalecieran la capacidad de entender lo que es una pérdida y del proceso que eso incluye, seríamos mucho más resilientes y podríamos manejar de forma efectiva las futuras experiencias dolorosas.

Desarrollar una consciencia resiliente es un proceso de toda una vida. No nos levantaremos un día por la mañana y diremos: «¡Ya alcancé la cumbre de la resiliencia!». El camino de crear resiliencia está empedrado de obstáculos que demandan un compromiso constante, trabajo profundo, pasos tangibles y alcanzables, así como aprender a fluir y, de vez en cuando, «romper el molde» y distraerte libremente. Cuánto más conscientes somos de las características que crean la resiliencia, así como de las dificultades que se presentan a la hora de conseguir una vida más satisfactoria, mejor preparados estaremos para gestionar con fortaleza el estrés y las crisis.

Vale recordar la experiencia del psiquiatra austriaco Viktor Frankl, quien halló el sentido de su vida tras conocer el horror de los campos de concentración nazis, y la de muchos deportistas paralímpicos, personas divorciadas, deudos que perdieron a un ser querido, personas que fracasaron financieramente, y sobrevivientes de una catástrofe natural.

Aunque estos individuos sean diferentes, entre ellos se cruza un hilo flexible, fuerte y adaptable que los empuja a enfrentar los retos y cambiar sus guiones negativos para llevar una existencia plena y totalmente equilibrada.

PRÁCTICA DIARIA

Luego de reconocer y desarrollar las habilidades resilientes descritas en este libro, practica cada día para no recaer en antiguos patrones de pensamientos, emociones y comportamientos negativos. Hay preguntas que puedes formularte y ejercicios diarios, así como guías para reflexionar y mantener un estilo de vida resiliente.

Resérvate unos minutos de tu jornada para realizar los ejercicios de resiliencia planteados. Puede ser a la misma hora todos los días, aunque no es necesario. Lo que encaje mejor en tu horario tendrá mayores probabilidades de dar resultado. En mi caso me resultan las horas de la noche, antes de dormir, minutos antes de hacer uno de mis mejores ejercicios de resiliencia: mi meditación de gratitud.

Para facilitar esta tarea, te planteo las siguientes preguntas, aunque puedes añadir tus propias inquietudes a esta lista. No es necesario que escribas las respuestas, pero al pensar en ellas reflexiona sobre lo leído en este libro:

1. ¿Hoy me permití fluir y traer al presente un espacio de diversión y alegría?
2. ¿He mostrado compasión, empatía y respeto hacia mí mismo y los otros?
3. ¿Cómo he reaccionado hoy ante el estrés, los errores y las crisis? ¿Puedo hacer algo diferente para la próxima vez?
4. ¿En qué áreas he actuado bien? ¿Cómo mantendré o reproduciré mañana esos comportamientos positivos?
5. ¿En qué áreas necesito continuar trabajando mi resiliencia?
6. ¿Cuáles son las claves de resiliencia que aplique hoy?

DIETA DE RESILIENCIA

Así como la perspectiva del dolor puede cambiar cuando se es niño, adolescente y luego adulto, la resiliencia se transforma según las diferentes etapas de la vida.

A medida que maduramos, salimos de las zonas de comodidad y aprendemos de las experiencias para abordar las crisis de manera enriquecedora. Por ello la resiliencia es específica y se adecúa a cada contexto: aunque se puedan utilizar las mismas habilidades, como fe, autoconfianza, tener orgullo sobreviviente, ejercicio físico y calma emocional, los cuidados van cambiando, la autoconfianza se robustece y la fe se profundiza.

- **Sigue el decálogo de resiliencia** descrito en las páginas anteriores.
- **Repasa las claves de este libro.** Recuerda que abrazar y cultivar la resiliencia es un proceso que dura toda la vida y que tiene un final abierto. El cambio es constante y dinámico.
- **Evalúa periódicamente tu progreso** a la hora de llevar una vida resiliente.
- **No esperes a que los demás cambien primero** para seguir tus objetivos. En tus manos está la llave de tus cambios. Tú eres el dueño de tu destino y debes asumir el control personal de tu vida. Eres la principal fuerza responsable para cambiar tus propias creencias negativas.
- **Define y evalúa objetivos a corto y a largo plazo.** Asegúrate de que sean realistas y que estén en consonancia con tus valores.
- **Sé optimista**, pero no olvides que cambiar lleva tiempo.
- **Anticipa los errores y las adversidades**. Ten preparado un plan B. Recuerda que las equivocaciones sirven para aprender.
- **Disfruta de tus logros.** No hablamos de ser modesto o ególatra, sino de asumir el mérito de tus conquistas. Si mereces darte una palmada o un premio por un trabajo bien hecho, ¡hazlo! Experimenta la alegría del éxito.
- **Desarrolla y mantén relaciones con seres humanos con ideales, causas, principios y fe similares a los tuyos.** Para alimentar las conexiones, participa en actividades que benefician la vida de los demás. Haz servicio comunitario y entrega lo mejor de ti.

- **Diviértete y permítete hacer algo «loco» o «fuera del estándar».** En otras palabras, fluye más y piensa menos. Esto fomentará en ti una actitud de perseverancia, entusiasmo y esperanza, esenciales para tu salud física y emocional.
- **Nunca es tarde para perseguir tus sueños.** Requiere enfoque, tiempo, perseverancia y esfuerzo, atributos que nacen de la esperanza y de una vida en consonancia con tus valores.

Aunque algunas crisis o adversidades son más desafiantes que otras, si mantienes tu confianza en el *bien mayor*, en tu creencia personal, religiosa o espiritual, puedes transformar esa vivencia en aprendizaje. Como reza el dicho, «nadie puede quitarte lo bailado».

Finalmente, solo pido en mi oración a Dios y al universo que lo vivido por mí sirva para que otros comprendan lo ilimitado del poder que habita dentro de ti. Si vives desde un lugar de consciencia, amor, fe y servicio a ti mismo y a los demás, serás un creador de excelentes resultados.

Sin importar la magnitud de la pérdida o la crisis, es primordial estar preparado para elegir la oportunidad de transformarte en algo mucho más grande a través de cada vivencia. Es una elección individual que depende totalmente de ti.

Deseo que este libro te anime a recuperarte, a planear y a soñar, a dar alegría a tu prójimo, a inspirarte e inspirar a otros, a dejar un legado y a ser consciente de que tú eres el autor de tu vida.

«No se puede brillar sin conocer la oscuridad»,
ANÓNIMO

La primera edición de
SÚPER RESILIENTE
fue impresa en 2019

Made in the USA
Middletown, DE
25 April 2021